U.G.E. **10 18**

12, avenue d'Italie - PARIS XIIIe

UNE ROSE POUR LOYER

PAR

ELLIS PETERS

Traduit de l'anglais
par Serge CHWAT

10 18

INÉDIT

« Grands Détectives »
dirigé par Jean-Claude Zylberstein

Edith Pargeter, *alias* Ellis Peters, née en 1913, se passionne pour le Moyen Age, en particulier les XIIe et XIIIe siècles anglais. Auteur de soixante romans historiques dont quinze criminels sur fond d'histoire médiévale, c'est à ces derniers qu'elle réserve son nom d'emprunt. En 1977, Ellis Peters crée avec son roman *Trafic de reliques* frère Cadfael, ce détective inhabituel dont elle prolonge désormais la chronique de livre en livre.

Titre original :
The Rose Rent

© Ellis Peters, 1986
© U.G.E. 10/18, 1992
pour la traduction française
ISBN-2-264-01655-8

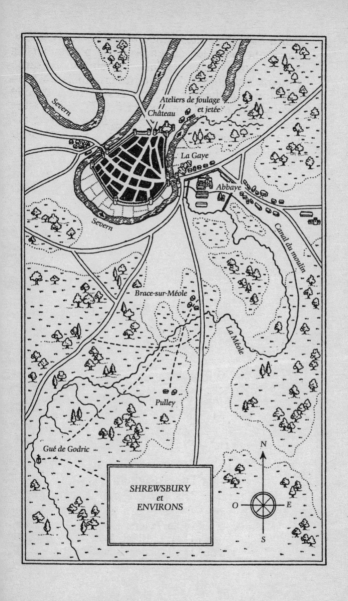

Severn

Ateliers de foulage
et jetée

Château

La Gaye

Abbaye

Canal du moulin

Severn

Brace-sur-Méole

La Méole

Pulley

Gué de Godric

SHREWSBURY
et
ENVIRONS

N

O   E

S

CHAPITRE UN

En raison du froid persistant qui dura jusqu'au plein mois d'avril, et avait à peine commencé à s'adoucir au début mai, le printemps se manifesta bien tard, sans enthousiasme, en cette année 1142. Les oiseaux ne s'éloignèrent pas des toits, à la recherche d'endroits plus chauds pour que leur couvée puisse éclore ; les abeilles prirent tout leur temps pour se réveiller et vidèrent leurs réserves de sorte qu'on dut leur fournir de la nourriture ; en outre, il ne fallait pas compter sur une floraison précoce leur permettant de butiner. Dans les jardins, il était inutile de planter des graines qui pourriraient ou seraient absorbées par un sol trop froid pour donner naissance à la vie.

Quant aux affaires des hommes, engourdis, immobilisés par cette même froidure, elles semblaient elles aussi en état d'hibernation. Les factions retenaient leur souffle. Le roi Etienne, après le premier mouvement d'enthousiasme dû à sa libération et au retour de son voyage pascal dans le Nord pour s'efforcer de reprendre un peu de son influence perdue, était tombé malade dans le Sud si sérieusement que la rumeur de sa mort s'était répandue dans toute l'Angleterre et que sa cousine et rivale, l'impératrice Mathilde, avait prudemment transféré son quartier général à Oxford où elle s'installa pour attendre patiemment, mais en vain, que la rumeur en question se vérifie, ce à quoi le souverain se refusait obstinément. Il n'avait pas fini de régler ses comptes avec la dame, et sa constitution était encore assez solide pour résister même à cette fièvre virulente. A la fin mai, il avait plus ou moins recouvré la santé. Aux premiers jours de juin, le froid inexorable relâchait son étreinte. Le vent mordant s'était changé en une brise tempérée, le soleil se répandit sur la terre, la caressant d'une main douce, les graines s'animaient dans les profondeurs du sol, des feuilles vertes commençaient d'apparaître, et des fleurs délicates, blanches, pourpres et dorées, d'autant plus exubérantes qu'elles avaient été si longtemps contraintes, couvraient le jardin et la prairie. Les semailles tardives démarrèrent avec une hâte jubilatoire. Et le roi Etienne, tel un géant, soudain libéré d'un enchantement, sortit de sa convalescence pour se lancer vigoureusement dans l'action. Il tomba à bras raccourcis sur le port de Wareham, le plus à l'est de ceux que possédaient encore ses ennemis, et s'empara de la ville et du château pratiquement sans coup férir.

— Et voici que de nouveau il marche vers le

nord, en direction de Cirencester, rapporta Hugh Beringar, ravi de ces nouvelles. Il va prendre un par un les avant-postes de l'impératrice, si seulement il est capable de conserver toute son énergie.

C'était le seul défaut, imparable, dans le dispositif militaire du roi, cette incapacité à garder un état d'esprit combatif quand il n'en obtenait pas des résultats immédiats. Il était du genre à abandonner un siège au bout de trois jours pour en entreprendre un autre ailleurs, gâchant ainsi pour rien les forces qu'il avait consacrées à ces deux opérations.

— Tout cela aura peut-être une fin heureuse ! conclut-il.

Frère Cadfael, qui avait lui-même des préoccupations d'ordre plus limité, continua à examiner le lopin de terre situé à l'extérieur du mur du jardin aux simples et tâta du bout du pied le sol que la petite pluie du matin avait assombri et adouci.

— Les carottes auraient dû venir depuis un bon mois, constata-t-il, pensif, et les premiers radis vont être filandreux et racornis comme du vieux cuir, mais, dorénavant, on tirera peut-être de tout cela quelque chose de plus moelleux. Encore heureux que les fleurs des arbres fruitiers n'aient pas commencé à sortir avant le réveil des abeilles, mais même comme ça la récolte ne sera guère généreuse. Tout a environ un mois de retard. Enfin les saisons s'arrangent à leur façon pour compenser ces inconvénients. De quoi parliez-vous, déjà ? Ah oui, de Wareham. Et alors ?

— Eh bien qu'Etienne a mis la main sur tout, la ville, le château, j'en passe… De sorte que Robert de Gloucester, qui a franchi cette même porte, il n'y a pas dix jours, se retrouve à présent dehors manu militari. Je ne vous en avais pas soufflé mot? On a eu la nouvelle il y a trois jours. Apparemment il s'est tenu une réunion en avril dernier à Devizes entre l'impératrice et son frère au cours de laquelle ils ont décidé qu'il était grand temps que le mari s'intéresse un peu aux affaires de son épouse et vienne ici en personne lui prêter main-forte pour qu'elle s'empare de la couronne d'Etienne. Ils ont envoyé des messagers en Normandie pour parlementer avec Geoffroi, mais il en a renvoyé d'autres, affirmant qu'il était d'accord avec eux mais que les hérauts qu'on lui avait dépêchés lui étaient inconnus de nom et de réputation, qu'il ne voulait traiter qu'avec le seul comte de Gloucester. Si Robert ne se dérange pas, a déclaré Geoffroi, il n'acceptera de recevoir personne d'autre.

Cadfael se laissa momentanément distraire de ses récoltes paresseuses.

— Robert s'est incliné devant ces arguments? s'étonna-t-il.

— Contraint et forcé. Il ne tenait pas du tout à laisser sa sœur sous la garde de certains qui n'auraient rien de plus pressé que la trahir après l'embrouillamini de Westminster, et je suis loin d'être sûr qu'il espère quoi que ce soit du comte d'Anjou. Il s'est embarqué de Wareham où je lui souhaite bien du plaisir si c'est par là qu'il compte revenir, maintenant que le port est sous la coupe du roi. Il faut avouer que notre souverain n'a pas perdu de temps. Pourvu qu'il reste dans de telles dispositions !

— Nous avons célébré une messe d'action de grâces pour sa guérison, rappela Cadfael distraitement, en arrachant une tige grêle de laiteron de son parterre de menthe. Pourquoi ces fichues mauvaises herbes poussent-elles trois fois plus vite que les plantes auxquelles nous consacrons tous nos soins ? Il y a trois jours, elles n'étaient pas là ! Si les choux allaient aussi vite, je pourrais les cueillir d'ici demain.

— Je suis persuadé que vos prières renforceront les résolutions d'Etienne, affirma Hugh, dont l'intonation n'en exprima pas moins l'ombre d'un doute. On ne vous a pas encore attribué d'assistant, ici au jardin ? Il serait grand temps, ce n'est pas le travail qui manque en cette saison.

— C'est ce que je leur ai rappelé au chapitre de ce matin. Mais allez savoir qui ils vont me dégotter. Le prieur Robert a bien un jeune novice ou deux sur le dos dont il serait ravi de se débarrasser en me les refilant. Par bonheur, ceux qu'il n'apprécie pas ont d'ordinaire tendance à avoir plus d'esprit que les autres. J'aurai peut-être de la chance avec mon apprenti.

Il se redressa, parcourut du regard les platesbandes nouvellement retournées et les champs de pois descendant en pente douce vers la Méole, se rappelant non sans indulgence ses aides les plus récents à l'herbarium : frère John, avec sa haute taille, sa désinvolture et son visage avenant. Rentré au chapitre par erreur, il en était sorti, non sans la complicité d'amis du pays de Galles, pour troquer son rôle de religieux contre celui d'époux et de père de famille. Il y avait aussi frère Mark, qui était arrivé à l'abbaye à seize ans; il était petit, maltraité par son oncle, timide et silencieux; avec le temps il avait acquis maturité et sérénité et cette disposition l'avait inévitablement attiré vers la prêtrise. Frère Mark continuait à manquer à Cadfael, alors qu'il était attaché à présent à la chapelle de la maison de l'évêque de Lichfield et déjà diacre. Après lui, il y avait eu frère Oswin, avec sa gaîté, sa confiance et sa maladresse, il était aujourd'hui parti servir un an au lazaret de Saint-Gilles à l'orée de la ville. Qui leur succéderait? se demanda Cadfael. Donnez à une dizaine de jeunes gens les mêmes vieux habits noirs, rasez-leur la tête; forcez-les à respecter le même horaire jour après jour, année après année, et malgré cela ils seront inévitablement différents et garderont leur personnalité propre, Dieu merci!

— Quel que soit celui qu'on désignera, remarqua Hugh, marchant à son pas le long du large sentier verdoyant qui parcourait le tour des étangs, vous l'aurez métamorphosé au moment où il vous quittera. Ils n'ont aucune raison de vous confier un saint plein de douceur comme Rhunn. Il est déjà tout prêt, c'est inné chez lui. On va vous donner un balourd, un ours mal léché qu'il faudra éduquer. Ceci dit, l'éducation n'a pas toujours les effets auxquels on pouvait s'attendre, ajouta-t-il avec un sourire éclatant et un regard en coulisse à son ami.

— Rhunn s'est chargé de veiller sur l'autel de Winifred, objecta Cadfael. Il couvre la petite sainte d'un regard de propriétaire. Il lui fabrique lui-même ses cierges et il m'emprunte des essences pour les lui donner à sentir. Non, Rhunn trouvera ce qui lui convient le mieux et ne laissera personne se mettre en travers de sa route. Ils y veilleront, elle et lui.

Ils atteignirent la passerelle du bief qui amenait l'eau aux étangs et au moulin et arrivèrent à la roseraie. Les massifs taillés n'avaient pas encore beaucoup poussé, mais les premiers bourgeons pointaient enfin, leurs fourreaux laissant apparaître une trace rouge et blanc.

— Elles ne vont pas tarder à s'ouvrir, observa Cadfael avec satisfaction. Elles avaient simplement besoin de chaleur. Je commençais à me demander si l'on pourrait régler le loyer de la veuve Perle à temps cette année, mais si celles-ci se mettent à rattraper le temps perdu, les blanches vont les imiter d'ici peu. Ce serait une triste année, s'il n'y avait pas de roses pour le vingt-deux juin !

— La veuve Perle ? Ah oui, la fille Vestier ! s'exclama Hugh. Ça y est, j'y suis ! Ainsi le règlement tombera le jour de la translation de sainte Winifred ? Depuis combien d'années avez-vous hérité d'elle ?

— Ce sera la quatrième fois que nous lui

paierons son loyer annuel : une rose blanche de
ce massif, qu'on doit lui remettre dans son ancien
jardin, le jour de la translation de sainte Winifred...

— Translation... translation... comme vous y
allez ! souffla Hugh avec un sourire en coin. Vous
devriez avoir honte d'en parler ainsi* !

— Mais c'est bien le cas, seulement avec ma
peau tannée, personne ne s'aperçoit que je rou-
gis.

Ayant depuis toujours vécu en plein air, en
Orient comme en Occident, il avait en effet un
teint fortement hâlé, si prononcé qu'il pâlissait
juste un peu en hiver et que l'été lui redonnait
toute sa patine.

— C'est vrai qu'elle n'a pas été exigeante,
observa Hugh, pensif, cependant qu'ils fran-
chissaient la seconde passerelle enjambant le canal qui alimentait l'hôtellerie. La plupart de nos
bons marchands en ville évaluent une bonne terre
à un prix plus élevé qu'une rose.

— Elle avait déjà perdu ce à quoi elle tenait le
plus, répliqua Cadfael, à savoir son mari et son
enfant en l'espace de vingt jours. Il est mort et
elle a fait une fausse couche. Elle ne pouvait plus
supporter de vivre seule dans la maison où elle
avait connu le bonheur avec lui. Mais c'est justement pour cette raison qu'elle a voulu que l'on
consacre à Dieu cette demeure et qu'on la sépare
du reste de ses biens qui suffisait largement à

* Voir *Trafic de reliques* n° 1994 et *le Pèlerin de la haine*
n° 2177, du même auteur, dans la même collection.

16

donner de quoi vivre à toute sa famille et à tous ses gens, même si elle n'en avait plus la jouissance. Elle sert à payer les lumières et les draperies de l'autel de Notre-Dame d'un bout de l'année à l'autre. C'est ce qu'elle a voulu. Et cette rose annuelle, c'est le seul lien qu'elle a gardé. Edred Perle était plutôt bel homme, se rappela Cadfael. En quelques semaines, je l'ai vu n'avoir plus que la peau sur les os sous l'effet d'une fièvre maligne sans que je puisse lui donner le moindre remède pour le rafraîchir. Ce genre de choses ne s'oublie pas.

— Ce n'était pas la première fois, avança Hugh avec bon sens, ici ou sur les champs de bataille de Syrie, dans le temps.

— Oh, je n'en disconviens pas ! M'avez-vous jamais entendu prétendre que j'avais perdu le compte d'un seul mort ? Mais un homme jeune et beau qui se dessèche avant l'heure, avant l'âge mûr, et son épouse qui reste là, sans même un enfant pour l'aider à se rappeler... Avouez que la situation serre le cœur.

— Elle est jeune, rétorqua Hugh, non sans une certaine indifférence et songeant à autre chose. Elle devrait se remarier.

— C'est ce que pensent bon nombre de nos marchands d'ici qui ont des fils, acquiesça Cadfael avec un sourire en coin, surtout que la dame n'est pas ruinée, qu'elle est seule à posséder la fabrique de drapier des Vestier. Mais après la perte qu'elle a subie, je ne pense pas qu'elle lorgne du côté d'un vieux grippe-sou comme

Godfrey Fuller qui a déjà enterré deux femmes, largement profité de leur fortune, et qui louche aujourd'hui du côté d'une troisième. Ou qu'elle se laisse tenter par un jeune bellâtre qui voudrait avoir la belle vie.

— Qui par exemple ? interrogea Hugh, amusé.

— Je pourrais vous en citer deux ou trois. Le fils de William Hynde, pour commencer, si mes commères ne m'ont pas menti. Et le jeune contremaître des propres tisserands de la dame ne manque pas d'allure ; il compte bien tenter sa chance avec elle. Même son voisin, le sellier, cherche une épouse, à ce qu'il paraît, et il a le sentiment qu'elle lui conviendrait parfaitement.

Hugh éclata d'un rire affectueux et lui envoya brusquement une bourrade dans le dos au moment où ils arrivaient dans la grande cour pleine de la discrète animation précédant la messe.

— Combien avez-vous d'espions dans chacune des rues de Shrewsbury ? Je donnerais cher pour que mes propres agents sachent seulement la moitié de ce qui se passe ici. Quel dommage que votre influence n'aille pas jusqu'en Normandie ! Comme ça, j'aurais peut-être une petite idée sur ce que mijotent Robert et Geoffroi. Remarquez, reprit-il, redevenant grave en retombant dans ses propres préoccupations, à mon avis, Geoffroi s'intéresse davantage à agrandir ses terres en Normandie qu'à venir perdre son temps en Angleterre. Selon de nombreux observateurs, s'il se dépêche de lancer des incursions, ce n'est sûrement pas pour lâcher le morceau maintenant. Il compte beaucoup plus forcer Robert à lui donner un coup de main plutôt que de lui apporter son aide.

— Il est vrai qu'il montre pour son épouse un intérêt des plus limités, admit sèchement Cadfael, ainsi que pour les ambitions de la dame. Bon, on verra bien si Robert parvient à le décider. Vous venez à la messe avec nous ce matin ?

— Non, je pars demain pour Maesbury pendant une semaine ou deux. On aurait dû procéder à la tonte avant cela, mais à cause du froid ils n'arrivaient pas à se décider. Ils doivent s'y être mis sérieusement à l'heure qu'il est. Je vais laisser Aline et Gilles là-bas pendant l'été. Mais je ferai la navette au cas où on aurait besoin de moi.

— Un été sans Aline ni mon filleul ! protesta Cadfael d'un ton de reproche. Voilà une perspective que vous ne devriez pas m'annoncer de but en blanc. Vous n'avez pas honte ?

— Pas le moins du monde ! Car je suis venu, entre autres choses, pour vous prier à souper avec nous ce soir, avant notre départ à l'aube de demain. L'abbé Radulphe a donné son accord et sa bénédiction. Allez, priez pour que nous ayons beau temps et que le voyage soit agréable, conclut Hugh en poussant vigoureusement son ami vers le coin du cloître et la porte sud de l'église.

Ce fut purement l'effet du hasard ou le symbole de cette force étrange qui amène la réalité sur les talons du souvenir si, parmi la maigre assemblée des fidèles qui avaient pris place dans la partie de l'église réservée à la paroisse pour assister à l'office des bénédictins, il y avait, ce jour-là, la veuve Perle. On trouvait toujours quelques laïcs agenouillés devant l'autel paroissial ; certains avaient manqué la messe pour différentes raisons ; d'aucuns, du fait de l'âge et de la solitude, tuaient le temps en assistant à tous les offices possibles et imaginables, d'autres encore avaient une demande toute particulière à formuler et cherchaient une occasion supplémentaire d'approcher la grâce, sans oublier ceux qui avaient des occupations différentes sur la Première Enceinte et profitaient volontiers d'un moment de calme pour réfléchir tranquillement, ce qui était le cas de la veuve Perle.

Depuis sa stalle dans le chœur, frère Cadfael distinguait tout juste la ligne suave de sa tête, son épaule et son bras derrière la masse de l'autel paroissial. Comme c'était étrange : cette femme si calme et discrète était pourtant immédiatement reconnaissable, alors même qu'elle était à peine visible. Peut-être était-ce dû au port de ses épaules graciles, ou à la façon dont sa lourde chevelure brune retombait le long de son visage si pieusement penché sur ses mains jointes, ses traits que l'autel lui masquait. Elle avait à peine vingt-cinq ans et n'avait guère connu que trois années d'un mariage heureux ; pourtant elle continuait à mener sa vie de femme seule sans bruit ni histoire, s'occupait scrupuleusement d'une affaire qui ne lui apportait aucune satisfaction personnelle, tout en se trouvant confrontée à une solitude perpétuelle, tout en gardant un visage tranquille et une réserve surprenante d'énergie et de sens pratique. Que le sort soit heureux, malheureux, vivre est un devoir qu'il faut accomplir sans transiger.

Dieu merci, songea Cadfael, elle n'est pas entièrement seule, c'est déjà ça ; elle a la sœur de sa mère pour tenir sa maison maintenant qu'elle vit pratiquement dans sa boutique, et son cousin est un contremaître et un directeur consciencieux qui la soulage de la partie commerciale de l'entreprise. Et par-dessus le marché, elle perçoit une rose chaque année en guise de loyer pour la maison et le jardin sur la Première Enceinte où son mari était mort. L'abandon volontaire de son bien le plus précieux — cette demeure où elle avait été heureuse et pour laquelle elle ne demandait que cet unique souvenir — constituait le seul geste où elle avait tenté d'exprimer sa passion, sa douleur et son deuil.

Née Judith Vestier et seule héritière du plus gros commerce de draperie de la ville, Judith Perle ne frappait pas par sa beauté, mais elle avait tant de dignité personnelle qu'elle eût attiré le regard même au cœur du marché le plus animé. D'une taille au-dessus de la moyenne pour une femme, elle était mince et se tenait très droite ; son maintien et sa démarche étaient remarquablement gracieux. Les boucles de ses beaux cheveux châtain clair, évoquant la couleur du vieux chêne, couronnaient un visage pâle qui rayonnait depuis le vaste front jusqu'au menton pointu en passant par des pommettes saillantes et des joues creuses, sans omettre une bouche mobile, trop large pour être vraiment jolie mais d'une forme élégante. Elle avait de grands yeux d'un gris profond, très clairs, qui ne cachaient ni ne révélaient rien. Cadfael avait pu l'observer de très près quatre ans auparavant, assise au chevet de son mari qui agonisait. Pas une fois elle n'avait détourné le regard ni baissé les paupières ; non, elle avait observé sans ciller son bonheur qui lui échappait et lui coulait irrémédiablement entre les doigts. Deux semaines plus tard, elle avait aussi perdu son enfant, mort à la naissance.

Hugh a raison, songea Cadfael, se forçant à suivre de nouveau la liturgie ; elle est jeune, elle devrait se remarier.

La lumière de juin, qui approchait maintenant de son zénith sous le soleil radieux, tombait en longs rayons dorés sur les membres du chœur et jusque dans les rangs des religieux et autres obédienciers assis en face. Cette lumière illuminait à moitié un visage tout en rejetant l'autre moitié dans une ombre exagérée, forçant les yeux éblouis à cligner frénétiquement pour échapper à cette brûlure. La voûte de la nef, au-dessus de leurs têtes, recevait ces reflets diffus dans un doux rayonnement tamisé, mettant en relief l'incurvation des feuilles, des motifs dans la pierre. La musique et le demi-jour ne semblaient s'accorder qu'ici, en plein midi. Après être resté longtemps en hibernation, l'été envahissait enfin l'église d'un pas hésitant.

Apparemment frère Cadfael n'était pas le seul dont l'esprit battait la campagne hors de propos. Frère Anselme, le premier chantre, absorbé dans son chant, levait vers le soleil un visage extatique, les yeux fermés, puisque chaque note lui venait naturellement, sans y penser. Mais à côté de lui frère Eluric, gardien de l'autel de sainte Marie, dans la chapelle de la Vierge, répondait du bout des lèvres, la tête tournée vers l'autel de la paroisse et le léger murmure des répons, un peu plus loin.

Frère Eluric avait grandi dans le cloître sans avoir toutefois prononcé ses vœux définitifs. On lui avait confié cette responsabilité particulière à cause de ses mérites indiscutables, confiance tempérée par la réserve de rigueur vis-à-vis des jeunes oblats qui ne partageaient pas pleinement la vie des autres religieux, à moins qu'ils n'aient atteint la maturité depuis déjà un certain temps. Cadfael avait toujours eu le sentiment que cette réserve ne se justifiait pas, tout en constatant que ces petits oblats étaient considérés comme parfaitement innocents, angéliques, alors que les convers, ceux qui avaient pris l'habit de leur plein gré, quand ils étaient sortis de l'enfance, étaient des saints militants, qui avaient subi, puis maîtrisé, leurs imperfections. C'est ainsi que saint Anselme les avait répertoriés, leur recommandant de ne jamais s'adresser mutuellement de reproches, ni de jamais se montrer envieux. Toujours est-il qu'on préférait les convers pour les postes de responsabilité, peut-être parce qu'ils avaient connu les tromperies, les complications et les tentations du monde qui les entourait. Mais prendre soin d'un autel, des cierges, des draperies et des prières particuliers qui s'y rattachaient, cette tâche, un innocent était parfaitement capable de s'en acquitter.

Frère Eluric, qui avait un peu plus de vingt ans maintenant, était le plus savant et le plus dévot de ses contemporains ; il était grand, bien bâti, avec des yeux et des cheveux noirs. Entré au cloître à l'âge de trois ans, il ignorait tout du monde extérieur. Le mal, dont il ne savait rien, le hantait d'autant plus, comme s'il s'agissait d'un monstre inconnu. Assidu à se confesser, il recueillait les bribes de ses errements insignifiants et s'en accusait comme s'il avait commis les sept péchés capitaux. Pourquoi diable un jeune homme aussi à cheval sur les questions de conscience prêtait-il si peu d'attention au saint office ? Son menton reposait sur son épaule, ses lèvres ne bougeaient pas, oublieuses des versets du psaume. En réalité, il regardait exactement à l'endroit que Cadfael fixait quelques instants auparavant. Mais de la stalle d'Eluric, il pouvait beaucoup mieux la voir, se disait Cadfael, avec son visage à demi caché, ses mains jointes et les plis du vêtement lui couvrant la poitrine.

A en juger par les apparences, cette contemplation ne lui procurait aucune joie, plutôt une tension difficilement supportable, évoquant la corde d'un arc prêt à tirer. Quand il se reprit et détourna enfin les yeux, ce fut avec un frisson qui le secoua des pieds à la tête.

— Eh bien ça, par exemple ! murmura Cadfael en aparté, commençant à comprendre. Quand je pense que d'ici huit jours c'est lui qui sera chargé de lui porter le loyer de la rose !... On aurait dû confier cette tâche à un vieux pécheur endurci comme moi, quelqu'un qui aurait su apprécier l'événement sans se laisser troubler ni troubler personne. Tandis que ce malheureux ne s'est sûrement jamais trouvé seul dans une pièce avec une femme depuis que sa mère a accepté de le confier à Dieu, ce qui était une erreur.

Et cette pauvre femme, avec sa tristesse et sa gravité, son malheureux passé et aussi son calme et sa maîtrise de soi, tellement semblable à la Vierge Marie, était bien le genre de femme à lui causer les plus graves tourments. Je le vois d'ici lui apporter sa rose blanche ; leurs mains se frôleront peut-être quand il la lui remettra. Et puis, ça me revient maintenant, Anselme m'a confié que le garçon était plus ou moins poète. De quelles bêtises ne sommes-nous pas capables sans le vouloir !

Il était maintenant beaucoup trop tard pour se remettre à prier et à rendre grâce comme il convenait. Cadfael se contenta d'espérer qu'au moment où les religieux quitteraient le cloître après l'office la dame serait partie.

Ce qui, Dieu merci, arriva.

Mais il fallait croire qu'elle n'était pas allée plus loin que l'herboristerie de Cadfael ; c'est en effet là qu'il la trouva, attendant patiemment devant la porte ouverte, quand il revint décanter la lotion qu'il avait laissée refroidir avant la messe.

— Frère Cadfael, vous m'avez jadis donné un onguent pour les mains abîmées, si vous vous souvenez bien. Il y a une de mes ouvrières qui souffre d'une éruption après avoir traité les toisons nouvelles. Mais pas à chaque saison, c'est ça qui est curieux. Cette année, ça recommence.

— Oui, je me rappelle, répondit Cadfael. Ça remonte à trois ans. Je connais la recette. Je vais vous en préparer du tout frais en quelques minutes, si vous avez le temps d'attendre.

Il semblait que oui. Elle s'assit sur le banc de bois, contre les planches de la cloison, rassembla ses jupes noires autour de ses pieds, très droite, silencieuse dans son coin. Cadfael alla chercher mortier et pilon ainsi qu'une petite balance avec des poids de cuivre.

— Comment vous portez-vous ces temps-ci ? demanda-t-il, s'affairant avec son saindoux et ses huiles de plantes médicinales. Vous êtes en ville pour le moment ?

— Je vais assez bien, merci, répliqua-t-elle calmement. Oh, ce n'est pas l'occupation qui manque ; la tonte s'est passée beaucoup mieux que je ne le craignais. Je n'ai pas à me plaindre. N'est-ce pas étrange, poursuivit-elle, s'animant un peu, que la laine donne des boutons à Branwen, alors que vous utilisez la graisse des toisons pour soigner les maladies de peau chez beaucoup de gens ?

26

— Mais le contraire se produit aussi, répliqua-t-il. Il y a des plantes que certaines gens ne sauraient manier sans qu'il leur en cuise. On apprend en observant. Je crois me souvenir que ce baume a eu de bons résultats.

— Certes oui; ses mains ont guéri très vite. Mais j'y pense, il vaudrait peut-être mieux que je ne la laisse plus carder et que je lui apprenne à tisser au contraire. Avec de la laine lavée, teinte, filée, il est possible qu'elle ait moins d'ennuis. C'est une fille intelligente, elle apprendrait sûrement vite.

Le moine, qui travaillait en lui tournant le dos, eut le sentiment qu'elle parlait pour meubler le silence tout en réfléchissant à quelque chose qui n'avait rien à voir avec ses propos. Il ne fut donc guère surpris quand elle s'exclama soudain d'une voix très différente, brusque et résolue :

— Frère Cadfael, je pense à prendre le voile, j'y pense très sérieusement! Le monde n'est pas si désirable que j'hésite à le quitter, et ma situation n'est pas telle que je puisse espérer la venue d'une période plus favorable. On se passera très bien de moi dans mon travail; le cousin Miles en tire d'excellents profits et il est beaucoup plus attaché à la maison que moi. Bien sûr, j'accomplis mon devoir comme on me l'a toujours appris, mais le cousin est capable de s'en sortir tout aussi bien que moi. Alors pourquoi hésiter?

Cadfael se tourna pour la regarder en face, le mortier en équilibre dans la main.

— En avez-vous parlé à votre tante et à votre cousin?

— Oui, bien sûr.

— Qu'ont-ils répondu?

— Rien. Ils ne veulent pas intervenir. Miles ne tient ni à me féliciter ni à me donner de conseils, il refuse d'en discuter. J'imagine qu'il ne me prend pas très au sérieux. Ma tante, vous la connaissez un peu, elle est veuve, comme moi, et même après tant d'années, elle est toujours en train de se plaindre. Elle parle de la paix du cloître et des soucis qu'on laisse dehors. Mais c'est toujours la même chanson, et je sais qu'elle apprécie bien sa petite vie confortable, s'il faut être franche. Je vis, frère Cadfael, je fais mon travail, mais je ne suis pas satisfaite. Prendre le voile, ce serait quelque chose de fixe et de stable.

— Ce serait aussi une erreur, déclara Cadfael sans ambages. Tout au moins en ce qui vous concerne.

— Et pourquoi donc? lança-t-elle d'un ton de défi. Son capuchon avait glissé sur sa tête, sa longue tresse châtain clair, parcourue de reflets d'argent comme les veines d'un chêne, brillait doucement dans la lumière tamisée.

— Je ne recommanderai à personne de choisir la vie monastique faute de mieux, et c'est à ça que reviendrait votre décision, répondit Cadfael. Il faut l'adopter parce que c'est vraiment ce qu'on veut, ou s'en abstenir. Le désir d'échapper au monde extérieur ne suffit pas, il faut aussi brûler de désir pour le monde intérieur.

— Est-ce ce que vous avez éprouvé? demanda-t-elle, et soudain elle sourit, son visage

28

austère devenant chaleureux pendant un bref instant.

Il l'étudia un moment en silence, prudemment.

— J'y suis venu sur le tard ; peut-être que mon feu ne brûlait pas très fort, reconnut-il enfin en toute honnêteté. Mais il donnait assez de lumière pour me montrer la route à suivre. Je ne fuyais pas, j'avançais vers quelque chose.

Elle le fixa bien en face avec une franchise qui tenait un peu de la provocation.

— Vous est-il jamais venu à l'esprit, frère Cadfael, émit-elle après réflexion, d'une voix brusque, morne, qu'une femme a peut-être de meilleures raisons de fuir que vous ? Plus de dangers à affronter et moins de possibilités d'y échapper ?

— C'est vrai, admit-il, touillant vigoureusement sa lotion. Mais vous, je parle en connaissance de cause, êtes mieux placée que beaucoup pour tenir bon et vous êtes aussi plus courageuse que bien des hommes. Vous êtes votre propre maîtresse, votre famille dépend de vous, et non le contraire. Vous n'avez pas de suzerain susceptible d'organiser votre avenir, nul ne peut vous forcer à un second mariage. Oui, je sais, il y en a beaucoup qui seraient ravis d'obtenir votre main, mais ils n'ont pas de pouvoir sur vous. Votre père est mort, aucun parent plus âgé ne peut vous influencer. Que les hommes puissent vous accabler d'attentions et que les affaires vous ennuient, d'accord, mais vous savez que vous êtes au moins l'égale des hommes. Quant à celui que vous avez perdu, ajouta-t-il après s'être demandé un moment s'il n'allait pas un peu trop loin, il n'est perdu que dans cette vie. Attendre n'est pas facile, mais ce n'est pas plus dur, croyez-moi, parmi les vexations et les distractions du monde, que dans le silence et la solitude d'un couvent. J'ai vu des hommes commettre cette erreur et s'infliger des souffrances d'autant plus graves qu'ils étaient doublement frustrés. Ne prenez pas ce risque. Sauf si vous êtes sûre de ce que vous voulez, si vous y aspirez de tout votre cœur et de toute votre âme.

Il n'osa pas s'aventurer au-delà; peut-être même avait-il déjà outrepassé ses droits. Elle l'écouta jusqu'au bout sans détourner ses yeux très clairs qu'il sentit peser lourdement sur lui tout le temps qu'il remplit et lissa le pot d'onguent et qu'il attacha bien le couvercle pour que le liquide ne risque pas de se renverser.

— Sœur Magdeleine, de la cellule bénédictine du gué de Godric, sera à Shrewsbury dans deux jours, l'informa-t-il. Elle vient chercher la nièce de frère Edmond qui veut y prendre le voile. J'ignore tout des motivations de cette petite, mais si sœur Magdeleine l'accepte comme novice, elles doivent être satisfaisantes. En outre, cette enfant sera soigneusement surveillée et n'ira pas plus loin que le noviciat tant que Magdeleine ne sera pas sûre de sa vocation. Aimeriez-vous lui en toucher un mot ? J'imagine que ça n'est pas une complète étrangère pour vous.

— En effet, murmura Judith d'une voix douce

avec dans son intonation un soupçon d'amusement tranquille. Mais quand elle a été admise au gué de Godric, ce n'était sûrement pas pour les raisons que vous invoquiez.

Il fallait reconnaître qu'elle avait marqué un point. Jadis sœur Magdeleine avait été, pendant de nombreuses années, la maîtresse de certain seigneur. Quand il mourut, elle réfléchit froidement à sa situation, cherchant un autre domaine dans lequel exercer ses indiscutables talents. Si elle avait choisi de prendre le voile, la passion n'avait rien eu à y voir. Ce qui rachetait sa décision, c'était la vigueur et la loyauté qu'elle avait toujours montrées et qu'elle continuerait sans nul doute à montrer jusqu'à son dernier jour.

— Pour autant que je puisse répondre, reconnut Cadfael, sœur Magdeleine est quelqu'un d'exceptionnel. C'est vrai qu'elle est entrée au couvent non par vocation, mais pour y faire carrière, et elle y réussit remarquablement. Mère Mariana est âgée maintenant et grabataire. Tout le poids de la communauté retombe sur Magdeleine et je connais peu de gens qui aient les épaules aussi solides. Je ne pense pas qu'elle utiliserait les mêmes arguments que moi, à savoir qu'il y a une seule bonne raison de vouloir prendre le voile : le désir sincère de vie spirituelle. Je vous conseille d'autant plus d'écouter son avis, d'y réfléchir soigneusement avant d'adopter une décision aussi grave. Et songez-y, vous êtes jeune ; elle n'était plus de première jeunesse.

— J'ai enterré ma jeunesse, déclara Judith très fermement, se bornant à énoncer une vérité sans chercher à se faire plaindre

— Si on en arrive à une solution de secours, avança Cadfael, il n'en manque pas aussi bien au couvent qu'à l'extérieur. Diriger l'entreprise que vos pères ont bâtie, donner un emploi à tant de gens est déjà en soi une justification suffisante à une vie, sans aller chercher des complications.

— Cela ne me pose guère de problèmes répondit-elle avec indifférence. Enfin, j'ai simplement mentionné que j'avais envisagé de renoncer au monde. Je n'ai encore rien décidé. Et quel que soit mon choix, je serai heureuse de m'entretenir avec sœur Magdeleine, c'est une femme d'esprit et je me garderai bien de tenir pour négligeable le moindre de ses propos. Si vous m'informez du jour de son arrivée, je la prierai de venir me rendre visite, ou bien c'est moi qui irai la voir, où qu'elle loge.

Elle se leva pour prendre le pot d'onguent. Debout elle était légèrement plus grande que lui, mais très mince, avec une ossature fine. Sa chevelure aurait paru trop lourde si elle n'avait eu un port de tête aussi noble.

Elle remarqua que les roses poussaient vigoureusement tandis qu'il l'accompagnait sur les cailloux du chemin, en face de son atelier.

— Si tardives qu'elles soient, elles finissent toujours par fleurir, dit-elle.

L'image aurait pu s'appliquer parfaitement à la discussion sur la qualité de la vie qu'ils venaient d'avoir, nota-t-il. Mais il garda cette réflexion pour lui. Il valait mieux confier la jeune veuve à la sagacité pénétrante de sœur Magdeleine.

— Et les vôtres? s'enquit-il. Il n'y aura que l'embarras du choix lors de la fête de sainte Winifred. Il est juste que vous receviez pour votre salaire la plus belle et la plus fraîche rose.

Un sourire très fugitif passa sur son visage, qui tout aussitôt redevint sombre. Elle gardait les yeux fixés sur le sentier

— Oui, répondit-elle, et elle s'arrêta là, alors qu'elle semblait avoir quelque chose à ajouter.

Aurait-elle remarqué ce qui agitait frère Eluric, et en aurait-elle été troublée elle-même? Trois fois il lui avait apporté une rose pour loyer. Combien de temps s'était-il trouvé seul avec elle? Deux minutes par an? Trois, peut-être? Mais ce n'était pas l'ombre d'un homme, l'ombre d'un vivant, qui cachait le soleil à Judith Perle. Ce qui ne l'empêchait nullement, songea Cadfael, d'avoir remarqué non pas qu'un jeune homme était entré dans sa maison, mais la souffrance qu'il éprouvait.

— Je m'en vais maintenant, murmura-t-elle, s'efforçant de chasser ses préoccupations. J'ai perdu la boucle d'une bonne ceinture. J'aimerais qu'on m'en fabrique une autre pour aller avec les rosettes qui en décorent le cuir et le bout. Des incrustations d'émail sur du bronze. C'était un cadeau d'Edred. Niall, le graveur sur bronze, pourra sûrement en reproduire le motif. C'est un excellent artisan. Je suis heureuse que l'abbaye ait un aussi bon locataire pour la maison.

— C'est quelqu'un de très bien, approuva Cadfael, qui entretient parfaitement le jardin. Vous verrez, votre rosier se porte à merveille.

A cela elle ne répondit rien, se contentant de le remercier pour son obligeance. Ils arrivèrent ensemble dans la grande cour où ils se séparèrent, elle continuant le long de la Première Enceinte en direction de la grande maison située après la forge de l'abbaye, demeure où elle avait passé les quelques années de sa vie conjugale, lui se dirigeant vers le lavatorium où il se laverait les mains avant le dîner. Mais en arrivant au cloître il se retourna pour la suivre des yeux jusqu'à ce qu'elle franchisse la voûte du portail et disparaisse à sa vue. Elle avait une démarche qui conviendrait fort bien à une abbesse, mais, d'après lui, elle n'était pas déplacée non plus, certainement pas, chez l'héritière du plus riche drapier de la ville. Il se rendit au réfectoire, convaincu d'avoir eu raison de lui déconseiller d'opter pour la vie conventuelle. Si à l'heure actuelle elle la considérait comme un refuge, avec le temps, ce refuge pourrait bien se changer en prison, et, même si elle l'avait choisie de son plein gré, elle ne s'y sentirait pas moins captive.

CHAPITRE DEUX

La maison de la Première Enceinte était située le long du triangle gazonné du champ de foire aux chevaux, là où la grand-route tournait le coin du mur de l'abbaye. Un mur plus bas, de l'autre côté de la route, fermait la cour où Niall, le graveur sur bronze, avait sa boutique et son atelier ; un peu plus loin se dressait une belle demeure cossue, avec son grand jardin et, derrière, un pâturage de petites dimensions. Niall tenait un commerce fructueux pour tout ce qui concernait les broches, les boutons, les poils de taille réduite, les aiguilles, sans oublier les marmites métalliques, les plats et les aiguières. Pour ces locaux, il payait à l'abbaye un loyer raisonnable. A l'occasion, il lui était arrivé de travailler avec des collègues à fondre des cloches, mais c'est quelque chose qu'on lui demandait rarement et qui exigeait de se rendre sur les lieux mêmes, plutôt que d'avoir à transporter ces cloches énormes après leur fabrication.

L'orfèvre travaillait dans un coin de son

échoppe ; il terminait le bord d'un plat fabriqué avec une feuille de métal qu'il martelait. A l'aide d'un poinçon et d'un maillet, il creusait une décoration florale quand Judith s'approcha de son comptoir. De la fenêtre sans volet, au-dessus du banc de travail, la lumière nimbait doucement, latéralement, le visage et la silhouette de la jeune femme. Il se tourna pour voir qui venait d'entrer, restant un moment immobile, ses outils à la main avant de les poser et d'aller à sa rencontre.

— Soyez la bienvenue, madame ! En quoi puis-je vous être utile ?

Ils se connaissaient à peine, ce n'était qu'un commerçant et artisan recevant une cliente, rien de plus. Et cependant le fait qu'il exerçât son métier dans la maison même qu'elle avait offerte à l'abbaye suffisait à expliquer l'attention toute particulière qu'ils se portèrent. Elle n'avait pas été dans cette boutique plus de cinq fois depuis qu'il l'avait louée. Il lui avait fourni des aiguilles, des crochets pour la dentelle de ses corsages, des petits ustensiles de cuisine, la matrice du sceau de la famille Vestier. Il était au courant de ce qui lui était arrivé, le don qu'elle avait effectué à l'abbaye ayant rendu la chose publique. Elle ne savait pas grand-chose de lui, hormis qu'il était entré dans son ancien logis en tant que locataire de l'abbaye et que l'homme et son travail étaient fort appréciés tant en ville que sur la Première Enceinte.

Judith déposa sur le long comptoir la ceinture

endommagée, en cuir fin et souple, remarquablement travaillée et ornée d'une série de petites rosettes de bronze autour de chaque trou, avec un étui également de bronze pour en protéger l'extrémité. Les brillantes incrustations d'émail, entre chaque rosette, en excellent état, brillaient de tous leurs feux, mais à l'autre bout la couture avait cédé et la boucle avait disparu.

— Je l'ai perdue quelque part en ville, un soir, à la nuit tombante. Sous mon manteau je ne me suis pas rendu compte que la ceinture avait glissé et était tombée. Quand je suis revenue la chercher, je n'ai jamais pu retrouver la boucle. Il y avait de la boue et, avec le dégel, le ruisseau débordait. C'est de ma faute, j'avais remarqué ce qui risquait d'arriver. J'aurais dû prendre mes précautions.

— C'est un travail délicat, observa-t-il, maniant précautionneusement l'objet en question. Ça m'étonnerait que vous ayez acheté ça ici.

— Si pourtant, à une foire de l'abbaye. Le vendeur était flamand. Dans le temps, je m'en suis beaucoup servie. Mais je l'ai laissée de côté depuis cet incident, quand j'ai perdu la boucle. Pouvez-vous m'en fabriquer une nouvelle qui aille avec ces couleurs et ces motifs ? Elle était plutôt allongée, comme ça.

Et, pour être plus claire, elle la dessina du bout du doigt sur le comptoir.

— Maintenant, si cela vous convient mieux, vous pouvez aussi bien lui donner un dessin ovale, ou ce qui vous paraîtra le plus approprié.

Au-dessus du comptoir, leurs cheveux se touchaient presque. Elle le regarda attentivement, un peu surprise de le trouver si proche, mais il examinait de près les émaux et le travail exécuté sur le bronze ; il ne s'aperçut donc pas qu'elle l'observait. Cadfael l'avait décrit comme un brave homme calme. Dans la bouche du moine, cela n'impliquait aucune critique. Sans ce genre d'individus, aucune communauté ne saurait survivre, et il convenait de les respecter, de les apprécier, plus que ceux qui attirent l'attention à tout bout de champ. Niall était le parfait représentant de cette catégorie de gens modestes. Il ne sortait de l'ordinaire ni par sa taille, ni par son âge, ni même par son teint raisonnablement hâlé, ni par une voix agréablement basse, mais sans excès. Judith lui donnait approximativement une quarantaine d'années. Quand il se redressa, leurs yeux étaient presque au même niveau et ses grands mains bougeaient avec une adresse ferme et douce.

Tout en lui s'accordait à l'image d'un être comme les autres, plein de dignité, ne se distinguant pratiquement en rien de son voisin, et cependant, si l'on additionnait ces qualités, on obtenait une identité bien précise qui ne se confondait à aucune autre. Sur son visage à l'ossature large, d'épais sourcils bruns surmontaient des yeux très écartés d'une chaude couleur noisette. Il y avait quelques fils gris dans ses cheveux bruns abondants et son menton soigneusement rasé, volontaire, indiquait un caractère tranquille et bien marqué.

— Etes-vous pressée ? demanda-t-il. Je ne voudrais pas bâcler le travail, alors si je pouvais disposer de deux ou trois jours, ce serait parfait.

— J'ai tout mon temps, s'empressa-t-elle de répondre. J'ai tellement laissé traîner ça que je ne suis pas à une semaine près.

— En ce cas, voulez-vous que je vous l'apporte en ville ? Je sais où vous vous trouvez, ça vous évitera de revenir.

Il lui adressa cette proposition avec une politesse hésitante, comme s'il craignait qu'elle ne puisse attribuer sa phrase à de la présomption, et non à de la simple courtoisie, ce qui était pourtant le cas.

Elle jeta un rapide coup d'œil à la boutique et vit — ce n'était pas très difficile — qu'il avait plus que largement de quoi s'occuper toute la journée.

— Mais il me semble que vous ne chômez pas. Evidemment, si vous avez un aide... mais je peux très bien me déplacer.

— Je travaille seul. Mais je serais ravi de venir dans l'après-midi, quand la lumière commence à décliner. Je n'ai pas d'autre rendez-vous, et ça ne me gêne nullement de travailler du matin au soir.

— Vous n'avez personne avec vous ? demanda-t-elle, confortée dans ce qu'elle avait deviné à son sujet. Pas d'épouse, ni de famille ?

— J'ai perdu ma femme il y a cinq ans. J'ai l'habitude de la solitude. Je n'ai pas de gros besoins, rien de plus facile que de les satisfaire. Mai j'ai une petite fille. Sa mère est morte quand elle est née.

Il vit son visage se tendre soudain et une lueur briller discrètement dans ses yeux cependant qu'elle redressait la tête, cherchant sans doute des traces de la présence d'un enfant.

— Non, pas ici! reprit-il. J'aurais été bien en peine de m'occuper d'un petit bébé. Ma sœur habite Pulley. C'est à deux pas. Elle a épousé l'intendant de Mortimer au domaine là-bas; elle a deux garçons et une fille qui ne sont pas beaucoup plus vieux. Ma petite fille habite avec eux, elle a des camarades de jeu et une femme pour s'occuper d'elle. Je vais la voir tous les dimanches, le soir aussi parfois. Mais elle est bien mieux avec Cécile, John et leurs enfants que toute seule ici avec moi, au moins tant qu'elle est encore petite.

Judith inspira longuement et profondément. Certes lui aussi avait perdu un être cher, et ce deuil avait peut-être été aussi cruel pour lui que pour elle-même, mais il lui restait un trésor inestimable alors qu'elle était entièrement dépourvue.

— Vous ne savez pas à quel point je vous envie, lança-t-elle brusquement. Moi, j'ai perdu mon bébé.

Elle n'avait pas eu l'intention de lui en confier autant, la phrase avait jailli toute seule, carrément, et c'est bien ainsi qu'il la prit.

— On m'a parlé de vos malheurs, madame. J'en ai vraiment été désolé parce que j'avais connu la même épreuve peu de temps auparavant. Du moins ai-je pu garder la petite, et j'en rends grâce à Dieu. Quand un homme subit une blessure aussi profonde, il apprend aussi à apprécier une telle grâce.

Elle répondit oui et détourna la tête avant de finir par se reprendre.

— Enfin... j'espère que votre fille pousse bien et qu'elle sera toujours une source de joie pour vous. Je viendrai rechercher ma ceinture d'ici trois jours si cela vous convient. Inutile de me la rapporter.

Elle avait passé la porte avant qu'il ait eu le temps de répondre quoi que ce fût; d'ailleurs, qu'aurait-il pu ajouter de vraiment significatif ? Toutefois, il la regarda traverser la cour et s'engager sur la Première Enceinte. Il ne retourna s'installer sur son banc pour travailler que lorsqu'elle fut hors de vue.

L'après-midi était déjà bien avancée mais, en cette saison de l'année, il restait encore une heure avant vêpres quand frère Eluric, gardien de l'autel de sainte Marie, quitta presque furtivement son travail au scriptorium, traversa la grande cour pour se rendre aux appartements de l'abbé dans le petit jardin entouré d'une haie et demanda à être reçu. Il semblait si tendu, agité que frère Vitalis, chapelain et secrétaire de l'abbé Radulphe, leva un sourcil interrogateur et marqua une hésitation avant de l'annoncer. Mais Radulphe avait été formel : tout membre de la communauté se trouvant en difficulté ou sollicitant un conseil devait pouvoir le voir immédiatement. Vitalis haussa les épaules et entra demander une permission qui lui fut aussitôt accordée.

Atténué par les boiseries du parloir, le soleil brillant se changeait en une brume onctueuse. Eluric s'arrêta juste dans l'encadrement de la porte qu'il entendit se refermer doucement dans son dos. Radulphe était assis à son bureau, près de la fenêtre ouverte, la plume à la main, et pendant un moment il continua à écrire sans lever la tête. Sculpté par la lumière, son profil aquilin se dessinait calme et sombre, un rayon doré mettant en relief son grand front et ses joues creuses. Eluric avait pour lui un respect mêlé de crainte et cependant il se sentait attiré, plein de reconnaissance, par tant de sérénité et de certitude, qualités dont il était cruellement dépourvu.

Radulphe mit un point final à sa phrase bien rythmée, reposa sa plume dans le plateau de bronze devant lui et leva la tête.

— Oui, mon fils ? Je suis là, je vous écoute si vous avez besoin de moi, parlez sans hésitation.

Eluric avait la gorge sèche, serrée, et sa voix était si faible qu'on l'entendait à peine à travers la pièce.

— Père, j'ai de très gros ennuis. Je ne sais même pas comment les évoquer ni dans quelle mesure je dois être jugé coupable, objet de scandale. Dieu sait pourtant à quel point j'ai lutté ! Je n'ai pas arrêté de prier pour me protéger du mal. Je suis à la fois requérant et plein de remords. Cependant, je me suis gardé du péché ; grâce à votre aide et à votre compréhension j'éviterai peut-être d'y tomber.

Radulphe l'observa plus attentivement, notant

la tension qui raidissait le corps du jeune homme ; en effet il frémissait comme une corde près de se rompre. C'était un garçon trop nerveux, toujours à se reprocher des fautes la plupart du temps imaginaires, ou si vénielles que leur donner le nom de péché en était déjà un en soi, car c'était un manquement à la vérité.

— Mon enfant, répondit l'abbé, la mine indulgente, d'après ce que je crois savoir de vous, vous êtes trop pressé de vous charger de crimes graves, alors que vos erreurs légères laisseraient indifférent un homme de sens rassis. Méfiez-vous de l'orgueil perverti ! La modération en toute chose n'est pas la voie la plus spectaculaire pour atteindre la perfection, mais c'est la plus sûre et la plus simple. Maintenant, parlez franchement et voyons comment mettre un terme à ce qui vous trouble. Approchez-vous ! ajouta-t-il vivement. Que je vous voie bien, et que je vous entende tenir des propos raisonnables.

Eluric s'avança, timide, manifestement très nerveux, crispant les mains si fort que ses jointures blanchirent. Il humecta ses lèvres sèches.

— Père, d'ici huit jours, ce sera la translation de sainte Winifred et il faudra payer le loyer de la rose pour la propriété de la Première Enceinte… à Mme Perle qui nous a donné la maison par contrat avec cette clause…

— Oui, je sais. Et alors ?

— Je suis venu vous supplier de me décharger de cette obligation, père. Selon la charte, trois fois déjà, je lui ai porté cette rose, et chaque année cela me devient plus difficile. Ne m'envoyez pas là-bas une fois de plus. Soulagez-moi de ce fardeau avant qu'il ne m'écrase! C'est plus que je n'en peux supporter.

Il tremblait violemment et éprouvait des difficultés à continuer à parler, si bien que les mots avaient autant de peine à franchir ses lèvres que des gouttes de sang sortant d'une blessure.

— La voir et l'entendre, rien de plus, m'est une torture, père. Je souffre mille morts d'être dans la même pièce qu'elle. J'ai prié, j'ai veillé, j'ai imploré Dieu et ses saints de me délivrer du péché. Mais ni les prières ni les rigueurs que je me suis imposées n'ont pu me garder de cet amour malheureux.

Radulphe resta assis, gardant le silence un moment après que le dernier mot eut été prononcé. Son visage n'avait pas changé, il était seulement devenu plus attentif, et il y avait une lueur décidée dans ses yeux profondément enfoncés.

— L'amour en soi, articula-t-il avec détermination, n'est pas un péché, ne saurait en être un, mais il peut y conduire. Avez-vous ne fût-ce que mentionné cette passion malheureuse à cette femme? Un seul de vos actes ou de vos regards a-t-il pu jeter le discrédit sur vos vœux ou sur sa pureté à elle?

— Oh non! Non, jamais, père! Pour rien au monde! Je me suis simplement montré courtois en arrivant et repartant, et je l'ai bénie pour la bonté qu'elle a montrée à notre congrégation. Je me suis toujours conduit convenablement, mon cœur seul est coupable. Elle ignore tout de mes tourments, elle ne m'a jamais consacré une seule pensée, ni ne m'en consacrera jamais. Pour elle, je ne suis que le messager de l'abbaye. Avec l'aide de Dieu, elle ne saura jamais rien de tout cela, car elle est sans tache. C'est pour elle aussi bien que pour moi que je vous prie de ne jamais la revoir, car la douleur que j'éprouve pourrait la troubler et la rendre malheureuse, même sans en comprendre le motif. Souffrir est bien la dernière chose que je lui souhaite.

Radulphe se leva brusquement de son siège. Eluric, épuisé par sa volonté de se confesser et convaincu de sa culpabilité, était tombé à genoux, la tête dans les mains, attendant la sentence. Mais l'abbé se contenta d'aller vers la fenêtre, où il resta quelque temps à regarder la lumière de l'après-midi et la floraison prometteuse des roses de son jardin.

— Nous n'aurons plus d'oblats, songeait-il tristement, et il en remercia Dieu. Nous n'arracherons plus de bébés à leur berceau, ni aux bras et aux soins des femmes, les privant ainsi de la moitié de la création. Peut-on vraiment leur demander de se comporter normalement avec des personnes aussi étranges et dangereuses que le dragon de la fable ? Tôt ou tard, il s'en trouvera bien une pour croiser leur chemin, plus redoutable qu'une armée, bannières au vent, et ces malheureux enfants sans armes ni armure seront incapables de résister au choc ! Nous trompons les femmes, mais aussi ces petits que nous envoyons, sans préparation, affronter l'âge de raison en tant qu'hommes faits, désarmés devant le premier assaut de la chair. En les préservant du péril, nous les avons privés de tout moyen de défense. Enfin, il n'y aura pas de prochaine fois ! A partir de maintenant, les nouveaux arrivants seront des adultes, venus ici de leur propre gré, capables d'assumer leurs propres problèmes. Mais pour ce garçon, c'est à moi d'agir au mieux.

Il revint dans la pièce. Eluric était agenouillé, effondré, la figure enfouie dans ses douces mains lisses ; des larmes coulaient lentement entre ses doigts.

— Regardez-moi, ordonna fermement Radulphe, et le jeune homme leva vers lui un visage torturé, effrayé. Maintenant, répondez-moi franchement et n'ayez pas peur. Vous n'avez jamais parlé d'amour à cette dame ?

— Non, père !

— Et elle ? A-t-elle jamais eu un mot ou un regard susceptible de vous enflammer ou de vous provoquer ?

— Mais non, père, jamais ! Elle est parfaitement innocente. Je ne suis rien pour elle. C'est moi qui l'ai souillée, à ma grande honte, ajouta-t-il, pleurant de désespoir, moi que mon amour déshonore. Elle n'est au courant de rien.

— Vraiment ? Et en quoi cette affection déplacée a-t-elle nui à cette dame ? Je voudrais aussi savoir s'il vous est déjà arrivé d'imaginer que vous la touchiez, l'embrassiez ou la possédiez ?

— Non! s'écria Eluric, avec un hurlement de douleur et d'effarement. Dieu m'en est témoin! Comment pourrais-je la profaner ainsi? Je la respecte! Je pense à elle comme à la compagnie des saints. Quand je m'occupe des cierges que sa bonté nous vaut, il me semble voir son visage lumineux. Je ne suis rien d'autre que son pèlerin. Mais, ah, ça fait mal, gémit-il, et il s'inclina dans le bas de la soutane de l'abbé à laquelle il s'accrochait.

— Taisez-vous! s'exclama ce dernier d'un ton péremptoire. Vous vous servez de termes extravagants pour ce qui est absolument naturel et humain. L'excès est blâmable, et dans ce domaine votre conduite est répréhensible. Mais il est évident qu'en ce qui concerne cette infortunée tentation, vous n'avez rien à vous reprocher, en vérité vous auriez plutôt bien agi. Inutile de craindre non plus d'avoir nui à cette dame dont je vous félicite de louer la vertu. Vous ne lui avez causé aucun tort. Je sais également que vous êtes d'une honnêteté scrupuleuse dans la mesure où vous percevez et comprenez la vérité, et la vérité n'est pas simple, mon fils. Dans sa marche vers la sagesse, l'esprit de l'homme trébuche bien souvent. Je m'en veux de vous avoir soumis à cette épreuve. J'aurais dû voir les difficultés qu'elle présentait pour quelqu'un d'aussi jeune et inexpérimenté. Relevez-vous, à présent. Je vous accorde ce que vous étiez venu me demander. Désormais, je vous épargne cette épreuve.

Il prit Eluric par les poignets et le remit fermement sur ses pieds, car il était si faible et tremblait si fort d'épuisement qu'on pouvait douter s'il y serait arrivé sans aide. Le garçon commença à balbutier des remerciements, butant à présent même sur les mots les plus simples. Le calme dû à l'extrême fatigue et au soulagement réapparut petit à petit sur son visage. Mais il fallut quand même, tout libéré qu'il était, qu'il trouve encore matière à s'inquiéter.

— Père... le contrat... Il sera nul et non avenu si la rose n'est pas remise et le loyer payé...

— Mais la rose sera remise, déclara vigoureusement l'abbé, et le loyer réglé. A compter de ce jour, vous n'en êtes plus responsable. Occupez-vous de votre autel, et ne vous mettez plus en peine de savoir ni comment, ni par qui la tâche sera remplie.

— Y-a-t-il autre chose, père, qui puisse me permettre de purifier mon âme ? risqua Eluric, frémissant sous les ultimes traces de sa culpabilité.

— Le repentir pourra vous être salutaire, admit l'abbé, d'un ton un peu las. Mais attention, ne soyez pas trop dur envers vous-même, lorsque vous chercherez un châtiment adéquat. Vous êtes loin d'être un saint — c'est vrai pour chacun de nous —, mais vous n'avez rien non plus d'un grand pécheur, et je doute, mon enfant, que vous en soyez jamais un.

— Dieu vous entende ! murmura Eluric stupéfait.

— Dieu nous entend ! répliqua sèchement Radulphe. Il n'aime guère en effet que nous exagérions nos vertus, pas plus que nos défauts. Vous n'aurez jamais que ce à quoi vous avez droit tant pour le blâme que pour la louange. Pour le bien de votre âme, allez donc vous confesser comme je vous l'ai ordonné, mais avec modération, et précisez bien à votre confesseur que vous sortez de chez moi, que vous avez mon accord et ma bénédiction et que je vous ai déchargé de cette obligation qui était trop lourde pour vous. Ensuite, exécutez la pénitence qu'il jugera bon de vous imposer et gardez-vous bien de lui demander ou d'en attendre davantage.

Frère Eluric sortit les jambes flageolantes, incapable d'éprouver quoi que ce fût, craignant seulement que cette vacuité ne durât pas. Il n'éprouvait aucune joie, mais au moins il avait cessé de souffrir. Il avait été traité avec bonté ; il était venu à cet entretien afin d'être délivré de l'épreuve qui le forçait à être en contact avec cette femme, ce qui mettait un terme à ses tourments. A présent, toutefois, ce vide qu'il sentait en lui était comme la maison entièrement nettoyée dans la Bible, prête à être habitée, ne désirant que cela, mais ouverte aussi bien aux anges qu'aux démons.

Il obéit exactement aux injonctions de l'abbé. Jusqu'à la fin de son noviciat, il avait eu frère Jérôme pour confesseur ; et avec Jérôme, éminence grise du prieur Robert, il aurait certainement reçu le châtiment exemplaire qu'il réclamait. Mais maintenant, c'était vers Richard, le sous-prieur, qu'il devait se tourner. Richard, chacun le savait, s'efforçait de soulager et consoler ses pénitents par bonté autant que par paresse. Eluric tenta de son mieux de respecter les ordres de Radulphe, en ne s'épargnant pas mais en ne s'accusant pas non plus de ce dont il était innocent, même dans le secret de son esprit. Quand ce fut terminé, qu'il eut reçu sa pénitence ainsi que l'absolution, il resta à genoux, les yeux fermés, le front plissé douloureusement.

— Y a-t-il autre chose? s'enquit Richard.

— Non, père... Il n'y a rien à ajouter. Seulement, j'ai peur...

L'engourdissement commençait à passer, une douleur vague le grignotait peu à peu : la maison inoccupée ne le resterait pas longtemps.

— Je vais m'efforcer, bien sûr, de bannir jusqu'au souvenir de cette coupable affection, mais j'ai des doutes! Et si je n'y arrivais pas? Je m'en irai, dans la crainte de mon propre cœur...

— Mon fils, si jamais votre cœur vous trahit, vous devez prier la source de toute force, de toute compassion pour trouver de l'aide, et la grâce ne vous fera pas défaut. Vous servez l'autel de Notre-Dame, qui est la pureté incarnée. Qui pourrait vous offrir un soutien plus efficace?

Il y avait du vrai là-dedans! Seulement voilà, la grâce n'était pas un fleuve où on remplit son seau quand l'envie vous en prend, mais une fontaine qui coule quand elle le désire et se tarit aussi, n'obéissant qu'à ses caprices. Eluric accomplit sa pénitence devant l'autel qu'il venait de décorer,

50

agenouillé sur les carreaux froids du sol; la passion étouffait à moitié sa voix murmurante. Quand il eut fini, il ne se releva pas aussitôt, chacun de ses muscles et de ses nerfs cherchait désespérément la plénitude et la paix.

Il est certain qu'il aurait dû être heureux, car il était rasséréné, délivré du poids de cette effroyable faute; jamais plus il ne serait obligé de revoir le visage de Judith Perle, réentendre sa voix, ni respirer le doux parfum qui émanait de ses vêtements quand elle se déplaçait. Libéré du supplice, de cette tentation, il s'était cru délivré de ses tourments. Maintenant, il comprenait son erreur.

Il se tordit les mains de douleur avant de se lancer dans une série de prières passionnées, silencieuses à la Vierge Marie dont il était le serviteur dévoué et qui pouvait, non qui devait le soutenir dans les périls où il était. Mais quand il rouvrit les yeux, face aux cônes dorés qui contenaient les cierges, il aperçut le visage radieux de cette femme dont le charme éclatant l'aveuglait.

Il n'avait échappé à rien, simplement en rejetant cette insupportable souffrance, il s'était aussi privé de ce bonheur transcendant, et tout ce qui lui restait, à présent, c'était son honneur stérile et sa virginité, cette nécessité sinistre de rester à tout prix fidèle à ses vœux. C'était un homme de parole, il la respecterait donc.

Mais celle qu'il aimait, il ne la reverrait jamais.

Cadfael revint de la ville à temps pour

complies. Il avait bien mangé, bien bu, passé une agréable soirée, mais il regrettait cependant d'être privé d'Aline et de Gilles, son filleul, pendant trois ou quatre mois. Hugh les ramènerait sans doute dans sa maison de la ville pour l'hiver ; à ce moment l'enfant aurait grandi sans que son parrain sût comment et approcherait de son troisième anniversaire. Evidemment, il valait mieux qu'ils passent la saison chaude dans le nord, à Maesbury, à respirer du bon air dans le fief modeste de Hugh, plutôt que dans les rues encombrées de Shrewsbury où les épidémies circulaient à leur guise et prenaient une ampleur excessive. Il ne devait pas leur en vouloir de partir. Ils lui manqueraient toutefois.

Quand il traversa le pont, le crépuscule l'enveloppait d'une douce chaleur, et convenait parfaitement à son état d'esprit mélancolique, pas vraiment déplaisant. Il passa l'endroit où arbres et buissons bordaient le sentier qui descendait vers la Gaye et ses rives luxuriantes, près des jardins principaux de l'abbaye, avec à droite un calme reflet d'argent qui parcourait la surface de l'étang du moulin. Il tourna, arrivé à hauteur du portail. Le portier était assis à l'entrée de la loge pour profiter de la soirée, mais il n'en oubliait pas pour autant ses responsabilités ni la commission dont il avait été chargé.

— Ah te voilà ! s'exclama-t-il très détendu quand Cadfael franchit le guichet. Tu as encore couru la prétentaine ! Moi aussi j'aimerais avoir un filleul en ville.

— J'en avais reçu l'autorisation, répliqua-t-il, sûr de lui.

— A une certaine époque, tu n'aurais pas pris ce ton complaisant pour me répondre ! Mais oui, je suis au courant pour ce soir, et tu es juste à l'heure pour l'office. Seulement, il y a un problème pour l'immédiat : le père abbé t'attend dans son parloir. Dès qu'il reviendra, a-t-il précisé.

— Ah oui ? Vraiment ? s'étonna Cadfael, haussant un sourcil. Qu'est-ce que cela signifie à pareille heure ? Se serait-il passé quelque chose de bizarre ?

— Pas que je sache, il n'y a pas eu d'agitation particulière ; tout est parfaitement calme. Simple convocation. Frère Anselme est aussi de la partie, ajouta-t-il, placide. On ne m'a pas donné d'explications. A ta place, j'irais voir sans attendre.

C'était exactement l'opinion de Cadfael qui accéléra le pas pour traverser la grande cour et se rendre aux appartements de l'abbé. Frère Anselme, le premier chantre, l'y avait précédé ; il était déjà installé sur un banc sculpté, appuyé aux boiseries du mur. Il apparut très vite qu'il n'y avait rien de trop alarmant, car abbé et obédiencier tenaient chacun une coupe de vin et, dès que Cadfael entra, on lui en offrit une. Anselme se déplaça sur le banc pour que son ami pût s'asseoir. Le premier chantre, qui présidait également aux destinées de la bibliothèque, avait dix ans de moins que Cadfael ; c'était un être indéfinissable, relativement détaché du monde, sauf pour ce qui l'intéressait personnellement ; il était toutefois vif et subtil concernant tout ce qui touchait aux livres, à la musique, aux instruments permettant de la jouer, et plus particulièrement le plus beau d'entre eux : la voix humaine. Le regard bleu qui perçait sous ses sourcils bruns touffus et sa tignasse châtain tout ébouriffée était peut-être myope, mais il n'y avait pas grand-chose qui lui échappât, et il reflétait toujours la compassion pour les pauvres pécheurs et leurs errements, surtout si les coupables étaient jeunes.

— Si je vous ai demandé à tous les deux de venir, commença Radulphe, après avoir soigneusement refermé la porte et s'être assuré que personne ne pouvait les entendre, c'est qu'il est arrivé quelque chose dont j'aimerais autant qu'on ne parle pas au chapitre de demain. Il y a sûrement quelqu'un d'autre au courant, mais il est tenu par le secret de la confession, ce qui évite les risques. Sinon, rien de notre conversation ne doit sortir d'ici. Vous avez eu l'un et l'autre une longue expérience du monde et de ses chausse-trappes avant de prendre la robe, vous me comprendrez donc sans peine. Encore heureux que ce soit vous qui ayez été les témoins de l'abbaye lors de la rédaction du document qui nous a permis d'acquérir la maison de la veuve Perle sur la Première Enceinte. J'ai demandé à frère Anselme d'en apporter une copie tirée de notre grand registre.

— Je l'ai sur moi, répondit ce dernier, dépliant à demi la feuille de vélin sur son genou.

— Bien! Au travail! Le problème est le suivant : cette après-midi frère Eluric, qui est le gardien de l'autel de la chapelle de Notre-Dame, bénéficiaire de ce don et qui semblait tout désigné pour payer le loyer stipulé chaque année à cette dame, est venu me trouver et m'a demandé de le relever de cette fonction. Pour des raisons que j'aurais dû prévoir. Car on ne saurait nier que Mme Perle est une femme attirante et que frère Eluric est entièrement dénué d'expérience, jeune et fragile. Il affirme, et je le crois sans peine, qu'il n'y a eu entre eux ni regard ni propos déplacé, et qu'il n'a eu aucune pensée luxurieuse à son égard. Mais il a souhaité ne plus avoir à la rencontrer, puisqu'il en souffre et qu'il est induit en tentation.

Cadfael songea que cette manière d'évoquer les tourments de frère Eluric était pleine de délicatesse, mais, Dieu merci, il semblait qu'on ait pu éviter le désastre à temps. Manifestement, le garçon avait obtenu satisfaction.

— Vous lui avez accordé ce qu'il voulait, murmura Anselme pour qui la question ne se posait pas vraiment.

— En effet. C'est notre travail d'apprendre aux jeunes à affronter les tentations du monde et de la chair, mais en aucun cas de les y soumettre. Je me reproche de n'avoir pas prêté suffisamment attention à cet arrangement et de ne pas en avoir imaginé les conséquences. Eluric a réagi comme un émotif, mais je le crois absolument quand il affirme n'avoir jamais péché. Je l'ai donc déchargé de cette tâche. Et je souhaite qu'aucun de ses frères ne soit informé de l'épreuve qu'il a subie. Au mieux, cette histoire lui laissera des cicatrices ; alors qu'au moins on n'en glose pas et que cela reste entre nous. Il n'a même pas besoin de savoir que je vous ai consultés.

— N'ayez aucune crainte, déclara fermement Cadfael.

— Bien, poursuivit Radulphe, maintenant que nous avons tiré un malheureux enfant d'une situation périlleuse, je suis d'autant plus décidé à ne pas jeter quelqu'un d'aussi mal préparé dans le même piège. Il m'est impossible de désigner un garçon de l'âge d'Eluric pour porter la rose. Et si je choisis un ancien comme vous Cadfael, ou comme Anselme, tout le monde comprendra ce que signifie cette modification, et les tourments de frère Eluric deviendront matière à médisance et à ragots. Soyez sûrs qu'aucune obligation de silence n'empêche les nouvelles de se répandre comme des mauvaises herbes. Non, il faut qu'on puisse mettre ce changement de politique sur le compte de raisons canoniquement valables. C'est pourquoi j'ai demandé la charte. J'en connais le contenu, mais je n'ai plus les termes exacts en tête. Voyons les possibilités qu'elle nous suggère. Voulez-vous nous lire ce contrat, frère Anselme ?

Anselme déroula le parchemin et le lut de sa voix mélodieuse qui se réjouissait d'émouvoir les auditeurs pendant les offices.

56

— Que chacun sache, à présent et à l'avenir, que moi, Judith, fille de Richard Vestier et veuve d'Edred Perle, étant saine de corps et d'esprit, donne et cède, et par la présente charte confirme à Dieu et à l'autel de sainte Marie dans l'église des moines de Shrewsbury, ma maison sise sur la Première Enceinte des Moines, située entre la forge de l'abbaye et la propriété de Thomas le maréchal-ferrant avec le jardin et le champ qui en dépendent, et ce pour un loyer annuel durant ma vie d'une rose cueillie sur le rosier blanc poussant près du mur nord, rose que l'on me remettra à moi, Judith, le jour de la translation de sainte Winifred. Les témoins suivants étaient présents : pour l'abbaye, frère Anselme, premier chantre, frère Cadfael. Pour la cité, John Ruddock, Nicolas de Méole, Henry Wyle.

— Parfait ! s'exclama l'abbé, avec un profond soupir de satisfaction, cependant qu'Anselme reposait le document sur ses genoux. Il n'y a aucune mention sur la personne qui doit porter le montant du loyer, simplement qu'il doit être réglé au jour indiqué et remis entre les propres mains du donateur. On peut donc en décharger frère Eluric sans nous mettre en tort et nommer librement quelqu'un d'autre pour porter la rose. En l'occurrence, celui qui sera désigné agira au nom de l'abbaye.

Anselme l'approuva sans restriction.

— Mais si vous comptez exclure tous les jeunes, père, continua-t-il, de peur que le diable ne les tente, et aussi tous les anciens de crainte de révéler la faiblesse de frère Eluric qui serait soupçonné injustement de conduite répréhensible ou pis, sommes-nous censés chercher parmi les serviteurs laïcs? Un de nos intendants, peut-être?

— Ça n'aurait rien d'illégal, reconnut Radulphe, pratique, mais ça ne serait peut-être pas très logique. Je ne souhaite en rien diminuer la gratitude que nous éprouvons, c'est la moindre des choses, envers la générosité de la donatrice, ni manquer au devoir d'acquitter le loyer qu'elle a choisi. Cela signifie beaucoup pour elle, pour nous aussi par conséquent. J'apprécierai donc toutes vos suggestions en la matière.

— La rose, émit Cadfael lentement et après mûre réflexion, vient du jardin, plus spécialement du massif qu'elle préférait pendant sa vie d'épouse, et qu'elle a entretenu avec son mari. La maison a un locataire à l'heure qu'il est, un veuf très convenable et bon artisan, qui a donné tous soins à ces fleurs; il les a élaguées et nourries depuis qu'il s'est installé là-bas. Pourquoi ne pas lui demander de remettre la rose? Pas par des moyens détournés, par l'intermédiaire d'un tiers et sur ordre, mais directement du massif à la dame? Cette maison représente son propriétaire, comme elle en est la bénéficiaire, et son bienfait s'étend à la rose sans qu'il soit besoin de rien ajouter.

Il aurait été bien en peine d'expliquer ce qui l'avait poussé à avancer cette idée. Le vin qu'il avait bu dans la soirée, peut-être, dont celui de l'abbé avait renforcé l'effet, à quoi il fallait ajouter le souvenir de la famille heureuse, unie qu'il avait laissée en ville. Cette ferveur conjugale n'était-elle pas aussi sainte à sa façon que les vœux prononcés par ceux qui entraient en religion ? Ne portait-elle pas témoignage jusqu'au ciel de ce sacrement bénéfique à l'humanité ? Enfin, quelle que fût la cause de son intervention, c'était bien d'une confrontation particulièrement significative entre un homme et une femme qu'il s'agissait, comme Eluric l'avait très clairement montré, et le champion qu'on enverrait sur les lices pouvait tout aussi bien être un homme mûr qui savait déjà ce qu'était une femme, l'amour, le mariage et le deuil.

— Voilà qui est très bien pensé, s'exclama Anselme en toute objectivité. Si on choisit un laïc, autant vaut le locataire. Lui aussi profite de sa générosité, la maison lui va comme un gant, car le logis qu'il occupait précédemment était trop loin de la ville et trop étroit.

— Vous pensez qu'il sera d'accord ? demanda l'abbé.

— On peut toujours lui poser la question. Il a déjà travaillé pour la dame, rappela Cadfael, ils se connaissent. Plus il aura de bonnes relations avec la ville, plus cela sera profitable à son commerce. Je ne pense pas qu'il soulèvera d'objection.

— Alors, demain, j'enverrai Vitalis lui soumettre le problème, décréta l'abbé avec satisfaction. Et malgré son peu d'importance, on lui trouvera une solution.

CHAPITRE TROIS

Frère Vitalis avait vécu si longtemps parmi les documents, les comptes et les points de droit que rien ne le surprenait plus, ni n'arrêtait sa curiosité si ce n'était pas rédigé noir sur blanc. Il s'acquittait scrupuleusement de ce dont on le chargeait, sans s'y intéresser personnellement. Il transmit mot pour mot le message de l'abbé à Niall, le graveur sur bronze qui, comme il s'y attendait, donna sur-le-champ son accord. Il rapporta cette réponse satisfaisante et oublia tout aussitôt le visage du locataire. Ce qui ne lui arrivait jamais dès qu'un mot figurant sur un parchemin lui passait entre les mains, et ils étaient nombreux, même si les années en avaient un peu pâli l'encre. En revanche, la tête des laïcs qu'il ne reverrait peut-être jamais, et qu'il était incapable de se remémorer si d'aventure il les croisait sur sa route, s'effaçait aussi totalement de son esprit que ces mots que l'on gratte exprès sur une feuille de vélin pour laisser place à une autre rédaction.

— L'orfèvre a accepté, rapporta-t-il à l'abbé dès

son retour, et promet qu'il s'acquittera sans faute de sa tâche.

Il ne s'était même pas demandé pourquoi cette mission était maintenant dévolue non plus à un moine mais à un homme du siècle. De toute façon, c'était une meilleure solution puisque la donatrice était une femme.

— C'est parfait, répondit l'abbé, satisfait, et, dans la minute qui suivit, il chassa la question de son esprit.

Quand il fut de nouveau seul, Niall resta quelques minutes à fixer la porte par laquelle était sorti son serviteur, abandonnant sur son banc de travail le plat presque terminé avec sa bordure ouvragée, ainsi que le poinçon et le maillet dont il venait de se servir. Il ne restait plus beaucoup à faire pour terminer l'assiette; ensuite, il pourrait se consacrer à la ceinture de cuir souple enroulée sur une étagère et n'attendant que son bon vouloir. Il faudrait fabriquer un petit moule pour fondre la boucle entière, ensuite il cisèlerait les motifs délicats avant de mélanger les émaux pour remplir les incisions. Depuis que la dame la lui avait apportée, il l'avait déroulée trois fois, la caressant du bout des doigts, s'attardant sur le dessin précis des rosettes d'airain. Pour elle, il exécuterait quelque chose de beau, même s'il s'agissait d'un petit objet d'importance mineure, même si ce n'était à ses yeux qu'un article d'apparat; au moins elle la porterait et en ceindrait son corps si mince, presque trop, et la boucle reposerait contre son sein qui avait conçu un être à qui elle n'avait pu donner la vie, lui laissant cette douleur profonde qui ne guérissait pas.

Non pas cette nuit mais demain soir, à l'heure où la lumière faiblit, quand il ne pourrait plus se livrer à un travail précis, il fermerait la maison et prendrait le chemin qui mène à Brace-sur-Méole puis à Pulley, le hameau où se trouvait le petit manoir des Mortimer. Le mari de sa sœur, John Stury, était l'intendant du domaine où les enfants pleins de vie de Cécile tenaient compagnie à sa petite fille et couraient avec elle comme des fous parmi les animaux domestiques. Contrairement à Judith Perle, il n'avait pas tout perdu. C'était une grande consolation que d'avoir un enfant. Il plaignait ceux qui n'en avaient pas, et plus encore celles qui en avaient porté un avec tout le mal que cela leur avait donné, pour le perdre au dernier moment, et qui n'avaient plus l'âge d'en avoir d'autres. Le bébé de Judith n'avait pas tardé à suivre son père. Et la mère était restée seule pour continuer à suivre sa route.

Il était sans illusions à son sujet. Elle le connaissait peu, n'en demandait pas davantage et pensait à tout autre chose. Elle se montrait courtoise envers chaque homme mais sans s'intéresser à aucun. Il s'en rendait compte sans se plaindre ni se poser de questions. Mais le destin, aidé par le seigneur abbé, et certains scrupules quant aux relations des moines avec les femmes, avait décrété qu'un jour par an, au moins, il lui serait donné de la voir, de se rendre chez elle où il serait mis en sa présence et lui paierait ce qui lui était dû. Il échangerait avec elle quelques phrases courtoises, avec la possibilité de la regarder bien en face, et elle aussi, peut-être, ne serait-ce que pour un moment.

Il laissa son travail en plan et se dirigea vers le jardin. Protégés par le haut mur, il y avait des arbres fruitiers dont les racines plongeaient dans l'herbe, quelques légumes et d'un côté un étroit parterre de fleurs, très fourni, plein de couleurs vives. Le massif de roses blanches, aussi haut qu'un homme, poussait près du mur nord et s'accrochait à la maçonnerie par une dizaine de branches pleines d'épines. Il l'avait taillé moins de deux mois auparavant, mais chaque année il poussait encore plus vigoureusement. Il n'était plus de première jeunesse, il avait fallu enlever des branches mortes à plusieurs reprises, si bien qu'il était épais et noueux à sa base et sa souche puissante avait presque la taille d'un tronc. Des bourgeons à demi ouverts, d'un blanc neigeux, l'émaillaient richement. Les fleurs n'en avaient jamais été très grandes, mais leurs pétales immaculés répandaient un parfum délicieux. Pour cueillir la plus belle rose, il n'y aurait que l'embarras du choix quand viendrait la fête de la translation de sainte Winifred.

Il était normal qu'on offrît la plus éclatante. Mais même avant ce jour il reverrait la dame, quand elle viendrait rechercher sa ceinture. Niall retourna à son travail, le cœur content, se représentant mentalement la boucle qu'il allait fabriquer tout en terminant la décoration du plat destiné à la cuisine du prévôt.

La demeure de la famille Vestier occupait une place de choix au bout de la rue appelée Maerdol, qui descendait la colline et menait jusqu'au pont de l'ouest. Elle était bâtie en angle droit avec une grande devanture donnant sur la rue, et le long corps du logis avec la grande salle et les chambres nettement en retrait, sans parler d'une cour et d'écuries de belle dimension. Dans toute cette bâtisse allongée, jouxtant les pièces où vivait la famille, il y avait assez de place pour de vastes magasins situés dans un sous-sol bien sec où les jeunes filles qui peignaient et cardaient la laine nouvellement teinte ne manquaient pas d'espace, avec en plus trois métiers horizontaux dans un atelier séparé ; en outre, la longue pièce principale était assez vaste pour abriter une demi-douzaine de fileuses à la fois. D'autres travaillaient à domicile, ainsi que cinq autres tisserandes disséminées à travers la ville. Les Vestier étaient les drapiers les plus importants et les plus connus de Shrewsbury.

Seuls la teinture des toisons et le foulage du drap étaient confiés aux mains expertes de Godfrey Fuller, propriétaire de la teinturerie et des ateliers de foulage, ainsi que du terrain approprié au pied du mur du château.

A cette époque de l'année, les premières toisons avaient déjà été achetées, triées et envoyées à la teinture. Le même jour elles avaient été remises à Godfrey Fuller en personne — qui ne semblait pas vraiment pressé de se mettre au travail ; pourtant la devise de cet homme aurait pu être « le temps c'est de l'argent », et Dieu sait qu'il aimait l'argent, autant au moins que la puissance. Il était très fier d'être l'un des plus riches membres de la guilde de la ville et cherchait toujours à étendre son royaume et son influence. S'il fallait en croire la rumeur, il avait l'œil sur la fortune presque équivalente à la sienne de la veuve Perle et ne manquait jamais l'occasion de rappeler l'avantage qu'ils trouveraient à regrouper leurs biens par un mariage.

Comme il s'attardait chez elle, Judith soupira mais, en bonne maîtresse de maison, elle lui offrit un rafraîchissement et l'écouta patiemment insister pour la convaincre. Il avait au moins la décence de ne pas lui faire croire qu'il la courtisait et était amoureux d'elle. Il exprimait son solide bon sens au lieu de lui conter fleurette et tout ce qu'il lui disait était vrai. Si l'on réunissait leurs deux entreprises, et qu'on les gérait comme elles l'étaient en ce moment, ils s'assureraient un rôle majeur dans le comté, à plus forte raison en ville. Elle avait gros à y gagner, au moins en terme d'argent, et lui aussi. En tant que mari, il n'avait rien de repoussant ; s'il avait dépassé la cinquantaine, il était encore grand, solide, et il avait gardé bon pied bon œil. Ses cheveux gris acier couronnaient un visage aux traits acérés, et s'il avait un faible pour l'argent, il ne boudait pas non plus les apparences et le raffinement. Ne fût-ce que pour une question de prestige, il tenait à ce que sa femme fût parmi les plus élégantes du comté.

— Bien, bien ! conclut-il, reconnaissant qu'il avait échoué et s'inclinant sans rancune. Je ne suis pas en peine pour occuper mon temps, je ne suis pas non plus du genre à renoncer alors que la victoire est proche, et quand j'ai une idée dans la tête, elle n'en sort pas. Tôt ou tard vous comprendrez que je n'avais pas tort. Aucun danger que tous ces jeunes freluquets qui n'ont rien d'autre à offrir que leur joli minois me soufflent la place. Mon visage sert depuis plus longtemps, mais pour rien au monde je ne l'échangerais contre le leur. Vous êtes trop raisonnable, ma fille, pour choisir un garçon parce qu'il se tient élégamment à cheval ou parce qu'il a le teint frais et rose. Songez un peu à tout ce que l'on pourrait réaliser à nous deux, si votre entreprise et la mienne n'en formaient qu'une, depuis la laine sur le dos des brebis jusqu'à la robe portée par le client en passant par le drap qu'on vend au comptoir, tout nous appartiendrait.

— J'y ai pensé, répliqua-t-elle simplement, mais à la vérité, maître Fuller, je n'ai aucunement l'intention de me remarier.

— Les intentions, ça change, riposta fermement Godfrey, se levant pour prendre congé, et il porta à ses lèvres la main qu'elle lui tendit, résignée.

— Les vôtres aussi? demanda-t-elle avec un imperceptible sourire.

— Oh non, aucun risque. Mais si c'est votre cas, je serai là à vous attendre.

Là-dessus, il la laissa et s'en alla, aussi décidé qu'il était venu. Il semblait bien être doté d'une obstination et d'une patience sans limite, mais à cinquante ans on peut difficilement se permettre d'attendre. Avant peu, il lui faudrait prendre une décision concernant Godfrey Fuller, mais quelle solution lui restait-il, sinon celle qu'elle avait adoptée jusque-là? En d'autres termes, se montrer aussi constante à le refuser que lui à la demander en mariage. On lui avait toujours appris à bien s'occuper de son travail et de ses ouvriers, tout comme lui ; elle ne pouvait se permettre de confier la teinture et le foulage à quelqu'un d'autre.

Sa tante Agathe Coliar, qui cousait un peu plus loin, coupa son fil d'un coup de dent et s'adressa à sa nièce, de la voix douce et indulgente qu'elle prenait souvent pour lui parler.

— Tu ne te débarrasseras jamais de lui en te montrant courtoise. Il prend cela pour un encouragement.

— Il a le droit d'exprimer son point de vue, objecta Judith, indifférente, et il connaît exactement le mien. Rien ne m'empêche de lui opposer un refus à chaque fois qu'il demandera ma main.

— Ah, ma chère petite, je n'en doute pas ! Ce n'est pas l'homme qu'il te faut. Pas plus que l'un de ces jeunots qu'il évoquait, si on va par là. Tu sais très bien que personne ne pourra jamais remplacer celui avec qui on a été heureuse. Il vaut bien mieux continuer à vivre toute seule ! Après toutes ces années, je pleure encore mon propre mari. Je n'ai jamais pu regarder quiconque après lui.

C'est ce qu'elle avait déclaré en soupirant, en secouant la tête et en essuyant une larme facile, un bon millier de fois depuis qu'elle s'occupait du magasin, de la toile qui s'y trouvait et qu'elle avait amené son fils pour prendre l'affaire en main.

— S'il n'y avait pas eu mon fils qui était alors trop jeune pour se débrouiller seul, j'aurais pris le voile l'année même de la mort de Will. Il n'y a pas au couvent de coureurs de dot pour persécuter une femme. On ne connaît que la paix de l'esprit, là-bas.

Elle reprenait sa litanie favorite, semblant parfois oublier qu'elle ne se parlait qu'à elle-même.

Elle avait été jolie dans sa jeunesse, et elle avait conservé un visage rond et rose, d'une agréable fraîcheur, parfois démentie par la vivacité de ses yeux bleus et le sourire crispé qui effleurait ses lèvres, alors qu'elle aurait dû être calme et détendue. On eût dit parfois que des pensées étranges lui traversaient l'esprit et changeaient son apparence douloureuse en déguisement. Judith n'avait aucun souvenir de sa mère; elle se demandait souvent si les deux sœurs se ressemblaient beaucoup. Mais la mère et le fils étaient ses seuls parents et elle les avait accueillis sans la moindre hésitation. Le cousin Miles ne volait pas sa nourriture; il s'était montré particulièrement efficace pendant tous ces mois où la santé d'Edred avait décliné, lorsque Judith consacrait toute son énergie à son mari et à l'enfant à venir. Quand elle était revenue à la boutique, elle n'avait pas eu le cœur de reprendre les choses en main. Bien qu'elle ne chômât pas, et qu'elle gardât l'œil à tout, elle le laissait continuer à jouer le rôle de maître drapier. Une maison aussi importante se portait mieux avec un homme à sa tête.

— Mais enfin, soupira Agathe, pliant sur sa vaste poitrine sa couture dont elle humecta l'ourlet d'un pleur, j'avais mon devoir à accomplir ici-bas; cette tranquillité et ce calme ne m'étaient pas destinés. Toi, en revanche, tu n'as pas d'enfant à charge, ma pauvre chérie, et il n'y a rien sur terre qui te retienne, si tu as envie de prendre les ordres. Tu en as parlé il y a peu. Réfléchis bien, cependant, inutile de te précipiter. Mais si tu en arrives là, il n'y a rien pour t'en empêcher.

Non, rien, en effet ! Parfois Judith avait le sentiment que ce monde ennuyeux était un vrai gâchis, alors pourquoi s'y attarder ? D'ici un ou deux jours, demain peut-être, sœur Magdeleine arriverait de l'ermitage sylvestre de l'abbaye de Polesworth, au gué de Godric. A son départ, elle emmènerait une postulante, la nièce de frère Edmond. Elle pourrait tout aussi bien convoyer deux novices.

Judith était dans l'atelier de foulage, avec les femmes, quand sœur Magdeleine arriva, au début de l'après-midi du lendemain. En tant qu'héritière de l'entreprise de draperie, et n'ayant pas de frère, Judith avait dû apprendre tous les métiers qui s'y rapportaient, depuis le démêlage et le cardage jusqu'à la coupe finale des vêtements en passant par le maniement du métier à tisser, bien qu'elle eût un peu perdu la main à la quenouille. La pièce de laine cardée devant elle était roussâtre. Même les matières colorantes n'étaient fournies qu'en saison et le stock de pastel bleu de l'été passé était généralement épuisé en avril ou en mai. Ensuite venaient des variétés de rouges, de bruns et de jaunes que Godfrey Fuller produisait à partir de lichens et de garances. Il connaissait son métier. Les lés de tissu qui finissaient par lui revenir pour le foulage avaient une couleur claire, qui tenait bien, et atteignaient des prix intéressants.

C'est Miles qui vint la chercher. Il l'informa qu'elle avait une visiteuse et, passant au-dessus de l'épaule de Judith, il palpa un bout de lainage entre le pouce et l'index d'un geste discrètement approbateur.

— Il y a une religieuse du gué de Godric installée dans la petite chambre, elle t'attend. D'après les gens de l'abbaye, tu serais heureuse de t'entretenir avec elle. Tu comptes toujours te retirer du monde? J'espère que non! Je pensais que tu en avais fini avec ces idées ridicules.

— J'ai simplement signalé à frère Cadfael que j'aimerais la voir, répliqua Judith, arrêtant son fuseau. Rien de plus. Elle est venue chercher une nouvelle novice, la fille de la sœur de l'infirmier.

— Alors ne sois pas assez naïve pour lui fournir une seconde recrue. Bien que toi aussi tu aies tes lubies, murmura-t-il d'un ton badin, lui donnant une bourrade affectueuse dans le dos. Comme par exemple de céder pour une rose la plus belle maison de la Première Enceinte. Tu ne vas quand même pas te remettre entre les mains de l'Église pour couronner le tout?

Il avait deux ans de plus que sa cousine et il aimait bien jouer les aînés de bon conseil, mais avec une légèreté qui rendait son attitude supportable. Le jeune homme était plutôt bien bâti, mince et souple. Il était aussi doué pour monter à cheval, lutter et tirer à la cible près du bord du fleuve que pour gérer un commerce de drapier. Il avait hérité de sa mère des yeux bleus pleins de vivacité, des cheveux châtain clair, mais pas sa mine satisfaite. Alors qu'elle avait quelque chose d'hésitant et de superficiel, lui savait parfaitement ce qu'il voulait. Judith avait d'excellentes raisons d'être contente de lui et de se reposer sur son robuste bon sens pour toutes les questions touchant au côté commercial de l'entreprise.

— J'ai le droit de suivre ma voie, ce me semble, émit-elle, se levant et rangeant soigneusement son fuseau avec son fil roussâtre, seulement voilà, pour cela il faut savoir où l'on va ! Et pour être franche, je me sens complètement perdue. J'ai simplement émis l'idée que j'aimerais m'entretenir avec elle. Pourquoi pas ? J'apprécie sœur Magdeleine.

Miles l'approuva du fond du cœur.

— Moi aussi ! Mais je lui en voudrais de t'emmener. Cette maison s'écroulerait sans toi.

— Je t'en prie ! répondit sèchement Judith. Tu sais très bien que tu t'en sortirais tout aussi bien sans moi. C'est sur tes épaules que tout repose, non sur les miennes.

Elle n'attendit pas qu'il proteste pour s'éloigner, mais elle le rassura d'un sourire, effleurant sa manche en passant, pour aller rejoindre son invitée. Miles étaient d'une honnêteté scrupuleuse. Il savait que ses propos étaient l'expression de la vérité pure et simple : il n'avait aucun besoin de sa cousine. Cette certitude la piqua au vif. On pouvait fort bien se passer d'elle. En tant que femme, elle n'avait aucun but dans la vie, elle devait donc se demander si elle ne serait pas plus utile hors du siècle. En s'efforçant de l'en dissuader, son cousin avait rouvert cette sensation de vide qui la rongeait et ravivé son désir d'entrer au couvent.

Sœur Magdeleine s'était installée sur les coussins d'un banc près de la fenêtre sans volet de la petite chambre de Judith. Dans son habit noir, elle paraissait solide et maîtresse d'elle-même. Agathe lui avait apporté des fruits et du vin, puis l'avait laissée seule car elle la craignait un peu.

— Cadfael m'a expliqué ce qui vous tourmente, commença la religieuse très simplement, et la conversation qu'il avait eue avec vous. Je me garderai bien de vous influencer dans un sens ou dans l'autre, en définitive c'est à vous qu'il appartient de décider, et personne ne se substituera à vous dans ce domaine. Je n'oublie pas non plus les souffrances que vous avez endurées.

— Je vous envie, murmura Judith, baissant les yeux sur ses mains jointes. Vous êtes bonne et je suis sûre que vous êtes sage et forte, ce que je suis loin d'être en ce moment. Il est tentant de s'appuyer sur quelqu'un de solide. Certes, je vis, je travaille, je n'ai abandonné ni ma maison, ni ma famille, ni mes responsabilités. Tout cela pourtant pourrait continuer sans moi. Mon cousin vient de me le prouver en prétendant le contraire. Ce serait un merveilleux refuge que d'avoir la vocation pour une autre existence.

— C'est donc que vous ne l'avez pas, observa Magdeleine finement, sinon vous vous seriez exprimée différemment.

Son sourire soudain fut comme un rayon de

chaleur et pendant un instant une fossette apparut sur sa joue puis s'effaça.

— Non. Cadfael m'a tenu le même raisonnement. Il a affirmé qu'on n'entrait pas en religion faute de mieux, mais parce que c'est *ça* qu'on désire. Ce ne doit pas être un refuge, mais une passion.

— Cela ne s'applique guère à moi, reconnut sœur Magdeleine sans détour. Mais je ne recommanderais à personne de suivre mon exemple. Et à aucune femme pour commencer. J'ai mené la vie que j'avais choisie, il me reste encore quelques années à payer pour cela. Et si ma dette n'est pas éteinte à ce moment, je réglerai le solde sans barguigner. Mais vous n'avez jamais eu de dette de cette nature et ça m'étonnerait que ça vous arrive. Les intérêts vont chercher loin. Si vous m'en croyez, je vous suggère d'attendre ; vous me paraissez destinée à quelque chose de différent.

— Je ne vois rien qui vaille la peine d'être acheté en ce bas monde pour le moment, objecta Judith d'un ton morne. Mais vous avez raison, frère Cadfael et vous. Si je prenais le voile, je m'abriterais derrière un mensonge. Tout ce que je désire, dans un cloître, c'est le calme, le mur qui m'entoure et tient le monde à distance.

— Alors souvenez-vous, scanda sœur Magdeleine, que pour les femmes dans le besoin nos portes ne sont jamais fermées, et le calme n'est pas l'apanage de celles qui ont prononcé leurs vœux. Un jour viendra peut-être où vous désirerez vraiment trouver un endroit retiré, du temps aussi pour réfléchir, vous reposer, voire retrouver le courage que vous avez perdu, bien qu'à mon sens vous en ayez de reste. Vous voyez, je ne voulais pas vous donner de conseils, et je suis bel et bien en train de vous en prodiguer. Attendez, supportez les choses comme elles se présentent. Mais si jamais vous avez besoin d'un endroit pour vous cacher, pour un moment ou pour longtemps, venez au gué de Godric, apportez-y vos ennuis et on vous fournira un refuge le temps qu'il faudra, sans prononcer de vœux, sauf si vous le désirez ardemment. Et j'empêcherai le monde d'entrer jusqu'à ce que vous ayez la force de repartir du bon pied.

Tard cette nuit-là, après le souper, dans le petit manoir de Pulley, parmi les arbustes et les landes bordant la Forêt Longue, Niall ouvrit la porte lambrissée du pavillon de son beau-frère et regarda le crépuscule qui commençait à sombrer peu à peu dans la nuit. Il avait trois miles à parcourir pour regagner sa demeure sur la Première Enceinte, mais il connaissait bien la route et, par beau temps, c'était une promenade agréable qu'il faisait ordinairement deux ou trois fois par semaine après son travail. Il était de retour chez lui au début de la soirée, de façon à se coucher de bonne heure et à se remettre à l'ouvrage tôt le matin. Mais là, il eut la surprise de voir qu'il tombait une bonne averse, si doucement que dans la pièce personne ne s'en était rendu compte.

— Reste avec nous cette nuit, suggéra sa sœur, près de lui. Inutile d'être trempé jusqu'aux os et ça ne durera sûrement pas jusqu'à demain.

— Ça ne me gêne pas, répondit simplement Niall. Je ne vais pas fondre.

— Avec tout ce chemin qui t'attend ? Sois raisonnable, murmura Cécile. Tu seras ici au sec, on a de la place. Tu sais que tu es le bienvenu. Tu te lèveras aussi tôt que tu voudras. Le soleil se montre très tôt, tu ne risques pas de dormir trop longtemps.

— Ferme donc la porte, conseilla John, assis à la table, et viens boire quelque chose. Il vaut mieux s'humidifier l'intérieur que l'extérieur. On n'a pas si souvent l'occasion de bavarder tous les trois après avoir mis les enfants au lit.

Avec ces quatre petits diables remuants comme du vif-argent, il n'avait pas tort ; les adultes étaient en effet constamment au service des bambins, que ce fût pour arranger leurs jouets, se joindre à leurs jeux, leur raconter des histoires ou leur chanter des comptines. Les trois enfants de Cécile, deux garçons et une fille, avaient entre six et dix ans, quant à la fillette de Niall, c'était la plus petite et la plus choyée. A présent, ils étaient tous quatre roulés en boule comme une portée de chiots, dormant à poings fermés sur leurs matelas bourrés de foin dans la petite soupente. Accoudés à la table à tréteaux, leurs aînés pouvaient parler tranquillement sans risque de les déranger.

Niall avait passé une bonne journée. Il avait fondu, décoré, poli la boucle pour la ceinture de Judith et n'était pas mécontent de son travail. Demain la dame pourrait venir la chercher et, s'il voyait une lueur de plaisir briller dans ses yeux quand elle la prendrait, il serait amplement récompensé. Entre-temps pourquoi ne pas passer ici une nuit confortable ? A l'aube, le monde serait lavé de frais et une promenade agréable s'offrirait à lui.

Il dormit comme un loir et fut, comme de coutume, réveillé par les chants des oiseaux où se mêlaient la sauvagerie, la stridence et la douceur. Cécile était déjà debout et s'affairait après lui avoir préparé de la petite bière et du pain. Elle était plus jeune que lui, blonde, bienveillante. Elle aimait son mari et savait s'y prendre avec les enfants ; rien d'étonnant à ce que la petite orpheline fût heureuse ici. Pas question de payer une pension. D'après les Stury, avec une telle couvée un oisillon de plus ne comptait pas. A la vérité, la famille s'en sortait fort bien en entretenant sous tous rapports le petit manoir de Mortimer, en s'occupant des champs cultivés, en surveillant la forêt et en creusant des fossés pour que les halliers ne fussent pas envahis par les cerfs et les biches. L'endroit convenait parfaitement pour y élever des enfants. Niall devait toujours se gendarmer pour repartir en ville et laisser derrière lui sa fille qu'il venait voir souvent de peur qu'elle n'oublie qui était son père et ne se croie la petite dernière des Stury. Ne s'étaient-ils pas occupés d'elle depuis sa naissance ?

Quand Niall se mit en route, l'aube était douce et humide. Apparemment la pluie avait cessé depuis plusieurs heures car, si l'herbe brillait, la terre avait absorbé l'eau et commençait à sécher. Les premiers rayons du soleil encore bas se déployaient lentement et dessinaient des motifs d'ombre et de lumière sur le sol. Les cris d'oiseau perdirent de leur excitation, et prirent petit à petit un ton plus calme et détendu. Ici aussi les nids étaient pleins de jeunes et il fallait s'en donner du mal pour les nourrir.

Le premier mile longeait l'orée de la forêt qui se changeait graduellement en lande à taillis, ponctuée çà et là de petits bosquets. Il atteignit bientôt le village de Brace-sur-Méole à partir duquel partait une route plus fréquentée qui s'élargissait pour devenir carrossable en se rapprochant de la ville. Cette voie traversait la Méole par un pont étroit et donnait sur la Première Enceinte entre le pont de pierre menant à la cité et le moulin et son étang bordant le mur d'enceinte de l'abbaye. Il était parti tôt, d'un pas vif, et la Première Enceinte s'éveillait à peine. Seuls quelques paysans et de rares ouvriers étaient debout et se rendaient à leur travail ; ils lui souhaitèrent le bonjour au passage. Les religieux n'étaient pas encore levés pour prime. Niall n'entendit aucun bruit dans l'église, mais dans le dortoir il surprit vaguement le tintement d'une cloche. La grand-route avait séché après la pluie à laquelle les jardins devaient leur riche couleur noire qui promettait une récolte abondante.

Il arriva au guichet du mur de son propre enclos, pénétra dans la cour, ouvrit la porte de la boutique et se prépara pour sa journée de travail. La ceinture de Judith était enroulée sur une étagère. Il s'abstint d'en caresser le cuir une fois encore : il n'avait aucun droit sur cette dame et n'en aurait jamais. Mais aujourd'hui il pourrait la revoir, réentendre sa voix, ce bonheur se répéterait dans cinq jours, chez elle cette fois. C'était mieux que rien. Leurs mains se frôleraient peut-être sur la tige de la rose. Il choisirait très soigneusement la fleur, soucieux de protéger des épines cette veuve qui très jeune avait déjà tellement souffert.

Cette idée le poussa à se rendre au jardin qui se trouvait derrière la cour. Après la fraîcheur de la nuit qui ne s'était pas encore dissipée, le soleil l'enveloppa sur le seuil comme une écharpe et resplendit, tout humide, à travers les branches des arbres fruitiers et sur l'exubérance des massifs.

Le long du mur nord le buisson de roses blanches pendait sur le côté, ses branches pleines d'épines arrachées à la pierre. Son fût épais, entaillé par un grand coup porté de haut en bas, avait été amputé d'un tiers de sa longueur et de ses fleurs qui gisaient sur le gazon. Le terreau du parterre tout piétiné donnait l'impression que des chiens s'y étaient battus et, à côté de l'endroit dévasté, on distinguait un tas noir à demi enfoui dans l'herbe. Il ne fallut pas à Niall plus de trois enjambées précipitées vers ce lieu pour découvrir le reflet pâle d'une cheville nue sortant de cet amas, un bras jailli d'une large manche noire, une main convulsivement enfoncée dans le sol, le cercle clair d'une tonsure d'une blancheur frappante parmi tout ce noir. C'était un moine de Shrewsbury, jeune et mince, dont l'habit constituait une bonne partie de la stature. Mais, grand Dieu, que fabriquait-il là, tué ou blessé, sous le rosier mutilé ?

Niall s'approcha et s'agenouilla près de lui, trop impressionné d'abord pour le toucher. Puis il vit le couteau tout proche, à côté de la main tendue, avec sa lame luisante de sang séché. Il y avait une grande tache d'humidité qui ne provenait pas de la pluie et détrempait le sol sous le corps. L'avant-bras qui sortait de l'ample manche noire était doux et lisse. Ce garçon était à peine sorti de l'enfance. Niall se décida à l'effleurer ; la chair était fraîche, pas encore froide. Il comprit pourtant qu'il était mort. Prudent, effaré, il passa une main sous la tête de la victime et présenta à la lumière du matin le jeune visage tout sali de frère Eluric.

CHAPITRE QUATRE

Frère Jérôme, qui surveillait et critiquait tous les religieux, jeunes et moins jeunes, qu'ils soient ou non confiés à sa garde, avait été frappé par le silence qui régnait dans une cellule du dortoir, alors que tous les autres se levaient, comme il convient, pour prime. Il prit sur lui d'aller jeter un coup d'œil, assez surpris en l'occurrence, car frère Eluric passait ordinairement pour un modèle de bonne conduite. Mais même les justes connaissent des moments de relâchement et, l'occasion de tancer vertement un être aussi exemplaire se présentant rarement, il n'allait pas la laisser passer. Mais cette fois dans son zèle, Jérôme en fut pour ses frais et ses pieux reproches ne purent se donner libre cours : la couchette était intacte, la cellule vide, le bréviaire ouvert sur le petit pupitre. Frère Eluric était probablement sorti du lit avant potron-minet et devait se trouver déjà à genoux quelque part dans l'église, à prier d'une façon particulièrement intense. Jérôme se sentit frustré et fut encore plus désagréable qu'à l'ordinaire envers ceux dont le regard montrait qu'ils étaient mal réveillés ou qui descendaient en bâillant l'escalier de matines. Il n'appréciait pas non plus ceux qui se montraient plus dévots que lui... ou qui ne l'étaient pas assez. D'une manière ou d'une autre, frère Eluric ne perdait rien pour attendre.

Une fois qu'ils furent tous dans leurs stalles du chœur et que frère Anselme eut commencé à chanter l'office (comment un homme de plus de cinquante ans, dont la voix ronde était plutôt grave, pouvait-il atteindre ce registre aigu, que lui aurait envié un soprano enfant ? Ah quelle audace !), Jérôme recommença à compter ses ouailles et ce qu'il constata le combla d'aise : un religieux manquait, et c'était précisément frère Eluric, ce faux parangon de vertu qui s'était insinué dans les faveurs et la protection du prieur Robert, ce qui rendait Jérôme vert de jalousie ! Ses lauriers allaient être bien défraîchis ! Le prieur ne s'abaisserait jamais à voir lui-même si des déserteurs manquaient à l'appel, mais si on le lui rapportait, il ne manquerait pas d'y prêter attention.

Prime se termina et les moines regagnèrent l'un après l'autre l'escalier de matines pour finir leurs ablutions et se préparer pour le petit déjeuner. Jérôme traîna pour se rapprocher du prieur et lui susurrer à l'oreille ses vertueuses perfidies sur frère Eluric et son absence à l'église.

— Père, frère Eluric n'était pas là ce matin. Il n'était pas non plus dans sa cellule, qui est parfaitement en ordre. Je croyais qu'il nous avait devancés à la chapelle. Je me demande bien où il peut être et à quoi il pense pour négliger ainsi ses devoirs.

A son tour Robert s'arrêta, les sourcils froncés.

— Bizarre! Surtout venant de lui! Avez-vous été voir à la chapelle de Notre-Dame? S'il s'est levé très tôt pour s'occuper de l'autel et qu'il est resté longtemps à prier, il s'est peut-être endormi. Cela peut arriver aux meilleurs d'entre nous.

Mais frère Eluric n'était pas à la chapelle de Notre-Dame. Le prieur se hâta d'arrêter l'abbé qui traversait la grande cour pour se rendre à ses appartements.

— Père abbé, nous nous inquiétons quelque peu pour frère Eluric.

Ce nom sollicita aussitôt toute l'attention du supérieur dont le regard prudent se durcit.

— Frère Eluric? Que lui est-il arrivé?

— Il n'était pas parmi nous à prime et on ne le trouve nulle part. Il n'est en tout cas dans aucun des endroits où il devrait être à cette heure-ci. Et ça ne lui ressemble pas de s'absenter des offices, ajouta le prieur, beau joueur.

— En effet. C'est quelqu'un de sérieux, répondit presque machinalement l'abbé qui repensait à la scène du parloir, quand il s'était trouvé confronté au jeune homme très nerveux qui lui avait avoué son amour illicite et ses efforts pour y résister. Ce souvenir n'était que trop vivant. Et si la confession, l'absolution et l'éloignement de la tentation avaient été insuffisants? Radulphe, qui avait l'esprit de décision, hésitait sur la manière de se comporter quand ils furent interrompus par le portier qui arrivait vers eux en courant, la robe et les manches volant au vent.

— Père abbé, il y a quelqu'un à la porte, le graveur sur bronze qui loue la vieille maison de la veuve Perle. Il a paraît-il quelque chose à vous confier qui ne saurait attendre. Il vous demande, mais il n'a pas voulu m'expliquer pourquoi.

Radulphe annonça aussitôt qu'il arrivait et s'adressant au prieur qui manifestait l'intention de le suivre :

— Robert, envoyez des gens fouiller les jardins, la cour de la grange. Si vous ne le trouvez pas, revenez me voir.

Et il s'avança à grands pas vers le portail, son intonation autoritaire et sa démarche véhémente dissuadant quiconque de l'accompagner. Il y avait là trop de fils qui se mêlaient, la dame de la rose, la maison de la rose, le locataire qui avait accepté de se charger de la mission que redoutait Eluric, et maintenant ce même Eluric qui disparaissait alors qu'on apportait des nouvelles inquiétantes de l'extérieur. Un motif commençait à se dessiner dans la tapisserie, dont les couleurs n'étaient pas gaies.

Niall attendait à l'entrée de la loge ; son visage large à l'ossature puissante était encore pâle et figé sous son hâle de l'été, car il n'était pas bien remis du choc.

— Vous m'avez demandé, déclara calmement Radulphe, l'évaluant de son regard direct. Me voici. Que se passe-t-il de si grave ?

— J'ai jugé préférable, excellence, de vous informer le premier et de m'en remettre à votre décision. J'ai passé la nuit dernière chez ma sœur, à cause de la pluie. Quand je suis rentré ce matin, je suis allé au jardin. Monseigneur, le rosier de Judith Perle a été à moitié détruit et l'un de vos religieux se trouve dessous, mort.

Après un bref et profond silence, l'abbé le pria de nommer le défunt, au cas où il connaîtrait son nom.

— Oui, je le connais. Pendant trois ans, il est venu au jardin couper la rose pour Mme Perle. C'est frère Eluric, le gardien de l'autel de sainte Marie.

Cette fois le silence fut plus long et plus profond. Puis l'abbé demanda simplement :

— Il y a combien de temps que vous l'avez découvert là ?

— C'était aux environs de prime, excellence ; il était à peu près cette heure-là quand je suis passé devant l'église en rentrant chez moi. Je suis venu aussitôt, mais le portier ne voulait pas vous déranger pendant l'office.

— Vous avez tout laissé en l'état ? Vous n'avez touché à rien ?

— Je lui ai simplement soulevé la tête pour voir son visage. C'est tout. Il est exactement comme je l'ai trouvé.

— Bien ! affirma Radulphe, avec une petite grimace en utilisant ce mot qui convenait, bien qu'il fût si peu approprié à la situation. Si vous voulez m'attendre une minute. Il y a des gens que je vais envoyer chercher, puis nous vous accompagnerons à votre jardin.

Ceux qu'il prit avec lui, sans souffler mot à personne, même au prieur, étaient frère Anselme et frère Cadfael, témoins pour l'abbaye du contrat passé avec Judith Perle. Eux seuls avaient été mis au courant de la tentation de frère Eluric et connaissaient la désolante vérité qui avait peut-être son importance dans ce drame. De par sa fonction, le confesseur du jeune homme était tenu au silence et de toute manière frère Richard, le sous-prieur, n'était pas l'homme que Radulphe aurait choisi pour le conseiller en d'aussi sombres circonstances.

Tous quatre entouraient en silence le corps de frère Eluric, notant au passage le triste amas de tissu noir, la main tendre, le rosier massacré, le couteau sanglant. Niall s'était écarté de quelques pas pour les laisser tranquilles, mais il demeurait aux aguets, prêt à répondre à toutes les questions que l'on voudrait lui poser.

— Pauvre, malheureux enfant, murmura Radulphe d'une voix lasse. Je suppose que je l'ai abandonné sans retour, sans soupçonner l'étendue de son mal. Il m'a supplié de le relever de sa mission, mais il est évident qu'il ne voulait la confier à personne d'autre. Il a essayé de détruire le massif, puis il s'est tué.

Cadfael se taisait, examinant attentivement le sol piétiné. Tous avaient évité de marcher trop près, rien n'avait été dérangé depuis que Niall s'était agenouillé pour tourner vers le soleil le visage livide.

— Est-ce ainsi que vous voyez les choses ? interrogea Anselme. Devons-nous considérer son geste comme un suicide, malgré la pitié que nous pouvons éprouver à son égard ?

— Vous envisagez une autre possibilité ? Cet amour interdit avait dû tant le torturer qu'il n'a pas pu supporter l'idée qu'un autre prenne sa place auprès de cette femme. Sinon pourquoi se serait-il glissé nuitamment jusqu'à ce jardin, pourquoi s'en serait-il pris aux racines du rosier ? Ces actes ont dû constituer le premier pas, dans son désespoir, vers l'effroyable tentation de se poignarder en même temps que les fleurs. Rien n'aurait pu fixer son visage dans la mémoire de la dame de ses pensées d'une manière plus terrible et plus définitive que cette mort. Vous connaissez tous, et pour cause, la mesure de sa désespérance. Et puis il y a le couteau à portée de sa main.

Ce n'était pas une dague, mais un honnête couteau à long manche, mince, tranchant, que n'importe qui aurait pu porter sur lui pour une foule d'excellentes raisons : pour couper sa viande à table, effrayer des coupe-jarrets lors d'un voyage, ou un sanglier rencontré d'aventure en forêt.

— A portée de main, intervint brièvement Cadfael. C'est bien là le problème.

Ils tournèrent prudemment les yeux vers lui, avec une lueur d'espoir.

— Regardez, ses doigts sont crispés dans le sol, continua-t-il lentement, et on n'y voit pas de sang, alors que le couteau en est couvert jusqu'à la garde. Touchez sa main, vous n'aurez pas de mal à constater qu'elle se raidit déjà en étreignant la terre. Il n'a jamais tenu cette arme. Si oui, n'aurions-nous pas trouvé le fourreau à sa ceinture ? Aucun homme normal ne porterait un objet pareil sans étui !

— Un homme normal, peut-être, acquiesça tristement Radulphe. Mais il en avait besoin, n'est-ce pas, pour s'attaquer au rosier ?

— Un tel couteau n'aurait pas pu infliger pareil dommage à ce massif, affirma Cadfael. C'est impossible ! Avec un fût aussi épais, il aurait fallu plus d'une demi-heure, même au moyen d'une arme parfaitement aiguisée, pour parvenir à ce résultat. On s'est servi de quelque chose de plus lourd, destiné à ce genre de travail : une faucille, ou une hachette. En outre, vous constaterez que la marque commence plus haut, là où un seul coup, deux au maximum auraient suffi à fendre le tronc, mais elle part en biais, vers le bas, et s'enfonce dans le fût où on a élagué du bois mort depuis des années, et ça a laissé cette trace.

— Je crains que frère Eluric n'ait guère eu l'expérience de cet engin, remarqua frère Anselme non sans une sèche ironie.

— Et il n'y a pas eu de deuxième coup, poursuivit Cadfael, imperturbable. Sinon le tronc aurait été complètement sectionné. Quant au premier coup, à mon avis il n'y en a eu qu'un, il a même été dévié. Le coupable a été interrompu. Quelqu'un s'est agrippé au bras qui tenait la hachette et a dirigé la lame vers l'épaisseur de la tige centrale. Je pense, sans pouvoir l'affirmer, qu'elle s'y est enfoncée profondément et celui qui l'utilisait n'a pas eu le temps de se servir de ses deux mains pour empoigner le manche et dégager son instrument. Sinon, pourquoi aurait-il sorti son couteau ?

— Vous prétendez, émit Radulphe, très attentif, qu'il y avait deux hommes ici cette nuit et non un seul ? Un qui s'efforçait de détruire et l'autre de l'en empêcher.

— Oui, c'est exactement ça.

— Et celui qui a essayé de protéger le rosier s'est accroché au bras de l'assaillant, a détourné la lame qui cisaillait le tronc et a reçu lui-même un coup de couteau serait...

— Frère Eluric, oui, je le crois. De qui d'autre aurait-il pu s'agir ? Il est certainement venu ici cette nuit de son propre chef, mais sans mauvaise intention, plutôt pour prendre définitivement congé de son rêve insensé, et contempler les roses pour la dernière fois. Mais il est arrivé juste à temps pour voir un autre homme avec des idées et des mobiles très différents, qui, lui, était venu détruire le massif de roses blanches. Eluric aurait-il accepté cela sans réagir ? Il a dû se précipiter pour défendre son arbre, il s'est pendu au bras qui tenait la hache avec le résultat que l'on connaît. S'il y a eu combat, comme ces traces le montrent, pour moi il n'a pas duré longtemps.

L'autre, s'il ne pouvait pas utiliser sa hachette, portait un couteau. Il s'en est servi.

Il y eut un long silence ; chacun fixa Cadfael, commençant à comprendre ce que ses affirmations signifiaient. Petit à petit, une sorte de conviction se marqua sur leur visage, mêlée de soulagement et même de reconnaissance. Car si Eluric ne s'était pas suicidé, s'il était mort en chrétien, portant sa croix, et cherchant à empêcher un geste mauvais, alors sa place en terre consacrée était assurée et sa traversée de la vallée de la mort, malgré les péchés véniels dont il aurait à rendre compte, évoquait plutôt le retour du fils prodigue dans la demeure de son père.

— Si les choses s'étaient passées différemment, signala Cadfael, la hachette se trouverait encore dans le jardin. Or, elle n'y est pas. Et ce n'est certainement pas notre malheureux frère qui l'a emportée. Ce n'est pas lui non plus qui l'a apportée. J'en jurerais.

— Pourtant, si tu dis vrai, objecta Anselme, méditatif, je m'étonne que l'autre ne soit pas resté pour terminer son œuvre.

— Non, il a dégagé sa hachette et a filé sans demander son reste de l'endroit où il avait commis un meurtre. J'imagine qu'il ne comptait nullement arriver à cette extrémité. Il a agi sous l'effet de la surprise et de la peur, quand ce pauvre garçon, scandalisé, lui a sauté dessus. Lorsque l'assassin a vu Eluric mort, il a dû être bien plus horrifié que si notre frère était resté en vie, et il s'est sauvé.

90

— Ce n'en est pas moins un meurtre, déclara fermement l'abbé.

— En effet.

— Il me faut donc le signaler au château. Il appartient aux autorités séculières de poursuivre les criminels. Quel dommage que Hugh Beringar soit parti dans le Nord, nous devrons attendre son retour, bien que je ne doute pas qu'Alan Herbard l'enverra chercher sur le champ et l'informera de ce qui s'est passé. Y a-t-il autre chose maintenant, avant que frère Eluric ne soit amené chez lui ?

— On peut toujours observer tout ce qu'il y a à voir ici, père. En tout cas, une chose est certaine, ce qui est arrivé s'est produit après la fin de l'averse. Le terrain était meuble quand ils sont venus sur place ensemble. Regardez comme ils l'ont marqué. Et le dos et l'épaule de l'habit de ce pauvre garçon sont secs. Peut-on le transporter maintenant ? Il y a suffisamment de témoins pour raconter comment on l'a trouvé.

Ils s'inclinèrent respectueusement et soulevèrent le corps que la rigidité cadavérique envahissait peu à peu et le déposèrent dans l'herbe, à plat dos. De la gorge aux chevilles, le devant de l'habit devait une teinte sombre à l'humidité du sol et une grande tache de sang marquait le drap à hauteur du sein gauche. Le visage, où s'étaient imprimées la colère soudaine, la crainte et la souffrance, avait maintenant perdu cette tension et avait retrouvé la douceur de la jeunesse et de l'innocence. Seuls ses yeux, à demi ouverts, témoignaient encore de l'inquiétude d'une âme troublée. Radulphe se baissa, les ferma d'un geste calme et essuya la boue sur ces joues pâles.

— Vous me soulagez d'un grand poids, Cadfael. Vous avez sûrement raison, il n'a pas mis fin à ses jours, on l'a assassiné d'une façon aussi cruelle qu'injuste, et quelqu'un aura à en payer le prix. Mais cet enfant est en sécurité, à présent. J'aurais voulu être capable de le comprendre mieux ; peut-être serait-il encore en vie.

Il réunit les deux mains fines de la victime et les joignit sur la poitrine couverte de sang.

— J'ai le sommeil trop lourd, avoua Cadfael non sans ironie. Je n'ai pas remarqué quand la pluie s'est arrêtée. Quelqu'un y a-t-il prêté attention ?

Niall s'était un peu rapproché, attendant patiemment au cas où on aurait encore besoin de lui.

— C'était terminé aux environs de minuit, affirma-t-il. Avant d'aller se coucher ma sœur a ouvert la porte, a regardé dehors. Elle a remarqué que le ciel s'était dégagé et la nuit belle. Mais il était trop tard pour que je songe à rentrer.

Il ajouta, comme pour expliquer sa présence à ceux qui l'avaient oublié depuis longtemps et qui se tournèrent vers lui :

— Ma sœur, son mari et les enfants vous confirmeront que j'ai passé la nuit chez eux et que j'en suis parti à l'aube. On pourra toujours prétendre que notre famille se tient les coudes, évidemment, mais je peux vous donner les noms

92

des deux ou trois personnes que j'ai saluées en remontant la Première Enceinte ce matin. Eux aussi confirmeront.

L'abbé lui lança un regard surpris et préoccupé et comprit le sous-entendu.

— Ce genre de vérification de tous ordres est du ressort des hommes du shérif, objecta-t-il. Mais je ne doute aucunement de votre parole. Ainsi il ne pleuvait plus vers minuit ?

— En effet, mon révérend père. Je n'étais pas à plus de trois miles. C'était sûrement pareil ici.

— Cela concorde, approuva Cadfael, s'agenouillant près du corps. Il a dû mourir il y a six ou sept heures. Et puisqu'il est venu après que la pluie a cessé, alors que le sol était bien souple, on est en droit de supposer qu'ils ont laissé des traces. Regardez, ici ils ont piétiné partout ; on ne voit plus rien. Mais quoi qu'il en soit, tous deux sont arrivés de nuit, et un seul homme est reparti.

Il se releva et frotta ses mains humides l'une contre l'autre.

— Ne bougez pas d'où vous êtes et jetez un coup d'œil autour de vous. Nous aussi risquons d'avoir marché sur un indice important, mais au moins portons-nous tous des sandales à une exception près, tout comme Eluric.

Puis s'adressant à Niall :

— Par où êtes-vous entré ce matin, quand vous l'avez découvert ?

— Par la porte, dit ce dernier, accompagnant sa réponse d'un mouvement de tête.

— Et quand Eluric venait chaque année chercher sa rose, par où passait-il ?

— Par le guichet de la cour de devant, comme nous. Et il était très discret, toujours.

— Donc, la nuit dernière, même s'il n'avait pas de mauvaises intentions, il ne tenait pas à ce qu'on le remarque ; il a certainement pris le même chemin. Voyons si on trouve d'autres empreintes que celles de ses sandales, murmura Cadfael, foulant soigneusement l'herbe en direction de la porte dans le mur.

L'allée en terre, rendue boueuse par la pluie, avait repris en séchant une surface unie, et les marques de leurs pas s'y détachaient clairement sous la forme de trois paires de semelles plates se chevauchant çà et là. Mais y en avait-il trois ou quatre ? Avec ces sandales ordinaires la pointure n'était pas une indication très sûre. Cadfael crut cependant pouvoir distinguer que parmi ces traces qui allaient toutes dans la même direction certaines étaient plus profondes que les autres. Celles de quelqu'un qui était entré quand le sol était plus humide qu'à présent, empreintes que par bonheur leur invasion matinale avait laissées intactes. Il y en avait aussi d'autres, plus larges et appuyées, appartenant à des chaussures normales et que Niall reconnut comme siennes, ce qui fut facile à vérifier.

— Je ne sais pas qui était l'intrus, articula Cadfael, mais il me semble qu'il n'est pas venu par-devant, comme ceux qui n'ont rien à cacher. Et avec un cadavre derrière lui, je doute qu'il soit sorti par là. Allons voir ailleurs.

A l'est, le jardin était bordé par le mur de la

94

maison appartenant à Thomas le maréchal-fer-rant, à l'ouest par celle de Niall, ainsi que sa boutique, aucune possibilité de s'enfuir par là. Mais sur l'arrière, de l'autre côté du mur nord, il y avait un enclos où l'on accédait très facilement depuis les champs et que ne surplombait aucun bâtiment. A quelques pas le long du mur, à proximité du rosier mutilé, poussait une vigne, aussi vieille que noueuse et qui donnait rarement du raisin. Une partie de son pied tout biscornu avait été arrachée du mur et, quand Niall vint y regarder de plus près, il constata qu'il avait été disposé latéralement pour servir de support et qu'un pied avait effectivement dû s'y poser pour escalader la muraille avec une hâte proche de la panique.

— Par ici! C'est par ici qu'il est passé! Le terrain est plus haut dans l'enclos, mais en quit-tant les lieux notre homme avait besoin d'un appui pour se sauver.

Les autres se rapprochèrent, très attentifs. La botte du grimpeur avait écorché l'écorce et sali les entailles de terre. En dessous, dans l'humus nu du parterre, l'autre pied, le gauche, avait laissé une empreinte parfaite, profonde en cherchant à s'élever, car il avait fallu lever nettement la jambe. Il s'agissait bien d'une botte avec un haut talon, qui avait gravé une marque profonde, oui, mais pas autant qu'elle aurait dû l'être au niveau du talon, là où le soulier se posait ordinairement. A en juger par la forme, c'était une chaussure de bonne qualité, mais plus de première jeunesse. Il y avait une fine ligne de terre qui partait en diagonale de dessous le gros orteil, arrivait jusqu'à la moitié de la semelle et s'amincissait jusqu'à disparaître presque complètement, signe que le cuir devait être un peu déchiré. A l'opposé du talon affaissé, la trace des orteils remontait légèrement. L'homme restait certes inconnu, mais en marchant son pied gauche tournait depuis le talon vers la droite des orteils. En sautant, il avait laissé une marque très nette, mais il s'était impeccablement arraché au sol, et la terre humide, en séchant peu à peu, avait remarquablement conservé ce moulage parfait.

— La cire chaude, marmonna Cadfael se parlant à moitié à lui-même, l'œil scrutateur, de la cire chaude, une main qui ne tremble pas, et grâce à ce talon on le tient à la gorge !

Ils se penchaient avec tant d'attention sur cet endroit bien précis, dernier indice laissé par l'assassin de frère Eluric, qu'aucun d'entre eux n'entendit les pas légers qui s'approchaient depuis la porte ouverte ; ils ne se rendirent pas compte non plus du reflet léger du soleil sur la robe de Judith quand elle arriva sur le seuil. Ayant trouvé la boutique vide, elle avait attendu quelques minutes l'arrivée de Niall. Mais puisque la porte menant aux pièces arrière était grande ouverte, et que les rayons dorés du soleil jouaient sur le vert des branches à travers le logis, étant donné aussi qu'elle connaissait si bien la maison, elle s'était risquée à aller le rejoindre au jardin où elle pensait qu'il se trouvait.

96

— Je vous demande pardon, murmura-t-elle en apparaissant dans l'encadrement, mais les portes étaient grandes ouvertes. J'ai appelé...

Elle s'interrompit, surprise, inquiète, devant le petit groupe qui se retourna pour la dévisager, la mine consternée. Trois bénédictins en robe noire étaient réunis près du vieux pied de vigne et l'un deux était le seigneur abbé en personne. Que diable pouvaient-ils fabriquer en ces lieux ?

Niall réussit à se reprendre et se précipita dans sa direction, s'interposant entre elle et ce qu'elle pourrait voir si elle détournait le regard de l'abbé. Il tendit un bras protecteur, l'incitant à regagner la maison.

— Venez, madame, il n'y a rien ici qui doive vous inquiéter. Votre ceinture est prête. Mais c'est que je ne vous attendais pas si tôt...

Prononcer quelques phrases rassurantes ne semblait pas être son fort. Elle refusa de se laisser emmener. Par-dessus son épaule elle balaya du regard le jardin clos ; ses yeux dilatés pâlirent, prirent une couleur grise, froide, vitreuse lorsqu'elle aperçut le corps inerte qui gisait, complètement indifférent, dans l'herbe. Elle vit le visage ovale et livide, les mains blanches jointes sur l'habit noir, le fût taillardé du rosier, les branches qui pendaient, arrachées au mur. Pour l'instant, le jeune mort lui était encore inconnu, et ce qui avait pu se passer en ces lieux échappait à son entendement. Mais ce qu'elle ne comprenait que trop bien c'est que ce qui était arrivé ici, et dont elle ne savait rien, entre ces murs qui jadis lui avaient appartenu, d'une manière ou d'une autre l'écrasait de tout son poids, comme si elle avait déclenché une terrible succession d'événements qu'elle était impuissante à maîtriser. Il lui semblait qu'une chape de culpabilité avait commencé à se refermer sur elle, ridiculisant ses bonnes intentions dont les conséquences s'étaient révélées tragiques.

Elle n'émit aucun son, ne s'effondra pas, ni ne céda aux supplications maladroites de Niall qui lui répétait, très inquiet, de venir s'asseoir calmement dans la maison et de laisser agir le seigneur abbé. Il l'avait entourée de son bras pour l'inviter à le suivre plus que pour la soutenir, car elle restait immobile, très droite, sans qu'un seul frémissement parcourût son corps. Elle lui posa les mains sur les épaules, refusant de se laisser emmener, décidée et résignée.

— Non, laissez-moi. Tout cela a un rapport avec moi. Je le sais.

A ce moment, tous se rapprochèrent d'elle, fort soucieux. L'abbé comprit qu'il ne pourrait pas tergiverser.

— Madame, que cette affaire soit de nature à vous affecter me paraît évident. Je ne vous dissimulerai rien. Cette maison, vous nous l'avez offerte, et l'on vous doit la vérité. Mais vous auriez tort de vous attribuer plus de responsabilités que toute dame bien née qui compatit lors d'une mort prématurée. Rien de tout ceci ne vous incombe et rien de ce qui va suivre ne relève de votre devoir. Rentrez dans la maison et tout ce que nous savons, je veux parler de ce qui est important, vous sera révélé. Je vous en donne ma parole.

Elle hésita, les yeux toujours fixés sur le jeune mort.

— Père, je ne voudrais pas vous rendre plus difficile une situation qui est sûrement déjà pénible pour vous, articula-t-elle lentement. Mais laissez-moi le voir. Je lui dois bien cela.

Radulphe la regarda dans les yeux et s'écarta. Niall retira presque furtivement le bras dont il lui entourait la taille de crainte qu'au moment où il l'enlèverait elle ne remarquât sa familiarité. Elle s'avança sur l'herbe d'une démarche très ferme et contempla frère Eluric. Dans la mort, il paraissait encore plus jeune et vulnérable que lorsqu'il était en vie, en dépit de son calme immuable. Tendant le bras vers le rosier blessé dont les branches oscillaient, elle cueillit un bouton à demi ouvert et le glissa soigneusement entre les deux mains jointes :

— Voici pour toutes celles que tu m'as apportées, murmura-t-elle, et, s'adressant à ceux qui étaient présents, en relevant la tête, elle ajouta :

— C'est bien lui. J'en avais le pressentiment.

— Il s'appelait frère Eluric, l'informa l'abbé.

— Je n'ai jamais su son nom. C'est drôle, n'est-ce pas ?

Les sourcils froncés, elle dévisagea tour à tour et bien en face le groupe d'hommes.

— Je ne le lui ai jamais demandé et il ne me l'a jamais donné. Nous avions si peu à échanger, et maintenant il est trop tard pour y remédier.

Elle fut la dernière à détourner la tête et quand la première onde de souffrance l'atteignit après que cet engourdissement se fut estompé, c'est à Cadfael, qu'elle connaissait le mieux, qu'elle s'adressa.

— Allez à l'intérieur, à présent, répondit-il. Nous allons vous expliquer le peu que nous savons.

CHAPITRE CINQ

L'abbé et frère Anselme reprirent le chemin de l'abbaye afin de demander que l'on ramenât frère Eluric sur une civière ; ensuite ils enverraient un messager au jeune adjoint de Hugh, au château, afin de l'avertir qu'il avait un meurtre sur les bras. La nouvelle qu'un moine venait de mourir dans des circonstances mystérieuses ne tarderait pas à se répandre sur la Première Enceinte, et le vent d'été colporterait d'étranges rumeurs à travers toute la ville. L'abbé rendrait sûrement publique une version soigneusement expurgée de la tragédie d'Eluric, pour imposer silence aux racontars les plus fous. Il ne mentirait pas, mais veillerait à judicieusement laisser de côté une part du secret qui resterait à jamais entre le défunt, les deux religieux appelés comme témoins et lui-même. Cadfael devinait assez bien comment on écrirait l'histoire : il avait été décidé, après mûre réflexion, qu'il était plus convenable de charger le locataire lui-même de régler le loyer de la rose plutôt que le gardien de l'autel de sainte Marie et, à ce titre, frère Eluric avait été déchargé de la mission qu'il avait précédemment remplie. Sa visite secrète au jardin n'était peut-être pas très sérieuse, mais n'avait aucun caractère blâmable. Il avait, c'était évident, simplement voulu s'assurer que le rosier était en de bonnes mains et bien fleuri ; découvrant un malfaiteur qui s'apprêtait à l'abattre, il avait naturellement essayé de s'opposer à ce geste, et il avait été tué au cours de cet affrontement. C'était une mort honorable, il serait donc enterré avec les honneurs. Il n'y avait rien à gagner à évoquer son conflit intérieur ainsi que la souffrance qui en avait résulté.

Oui mais voilà, Cadfael, lui, allait se retrouver confronté à une femme qui était en droit de tout savoir, sans compter qu'il ne serait pas très facile de lui mentir, ni même de travestir les faits. Et elle ne se contenterait pas de demi-vérités.

Puisque le soleil atteignait maintenant le parterre sous le mur nord du jardin, et que le bord de l'empreinte profonde pourrait sécher et s'effriter avant midi, voire disparaître complètement, Cadfael avait sur-le-champ emprunté quelques bouts de chandelle à Niall, les avait fondus dans un des petits creusets de l'artisan et était allé les couler soigneusement dans la forme en creux de la botte. En s'armant de patience, il réussit à sortir un moulage intact. Il faudrait le mettre au frais pour en conserver la netteté, mais à titre de précaution il avait également pris un bout de cuir mince non utilisé et découpé avec soin la silhouette de l'empreinte, avec les particularités qu'elle présentait. Tôt ou tard les bottes arrivent chez le cordonnier ; elles sont bien trop précieuses pour qu'on s'en débarrasse avant qu'elles ne soient complètement usées et qu'il n'y ait plus moyen de les réparer. Il arrive très fréquemment qu'elles soient utilisées par trois générations avant qu'on se décide à les jeter. Ainsi, songea Cadfael, cette botte tomberait un jour entre les mains du prévôt Corvisart ou d'un de ses collègues. Impossible de savoir quand, évidemment, mais la justice a appris à attendre… et à ne pas oublier.

Il rejoignit Judith assise dans le salon austère, impeccable et nu de Niall. On voyait que c'était un homme seul qui y vivait, rien ne traînait, mais il y manquait tous ces petits ornements qu'une femme y aurait ajoutés. Les portes étaient toujours grandes ouvertes ; il y avait deux fenêtres sans volets ; le reflet vert du feuillage et celui doré du soleil se répandaient et remplissaient la pièce de lumière. Judith ne la craignait pas ; là où elle se trouvait, des rayons, brillants, frémissaient au gré de la brise sur elle et ses vêtements. Elle était seule quand Cadfael revint du jardin.

— L'orfèvre avait un client, murmura-t-elle avec un sourire très pâle. Je l'ai prié d'aller le voir. Un homme ne doit pas négliger son travail.

— Une femme non plus, rétorqua Cadfael, qui posa délicatement son moulage de cire sur les dalles du plancher où le courant d'air passerait et repasserait sur lui comme les rais du soleil sur la jeune femme.

— Oui, je sais. Ne vous inquiétez pas pour moi, je respecte la vie. D'autant plus, ajouta-t-elle gravement, que j'ai encore une fois vu la mort de près. Racontez-moi tout ! Vous me l'avez promis.

Il s'assit près d'elle sur le banc dépourvu de coussin et lui narra en détail tout ce qui s'était passé ce matin-là, la disparition d'Eluric, l'arrivée de Niall, venu leur apprendre la découverte du corps et du rosier mutilé, sans omettre leur premier soupçon quant à un geste délibérément malveillant commis par Eluric et son éventuel suicide avant qu'une succession d'indices ne désignât une piste différente. Elle l'écouta jusqu'au bout avec beaucoup d'attention, sans détourner de lui ses beaux yeux gris, pleins d'intelligence.

— Mais enfin, je ne comprends pas. Vous mentionnez son escapade nocturne comme si elle n'avait aucune importance. Vous savez pourtant bien qu'une telle audace est proprement inouïe chez un jeune religieux. Il me paraissait si doux, inoffensif et respectueux des règles. Pourquoi a-t-il agi ainsi ? Pourquoi cette visite au rosier a-t-elle revêtu une telle importance pour lui ? Et sans autorisation, qui plus est, en pleine nuit ! Qu'est-ce que cela signifiait pour lui, qu'est-ce qui a pu le pousser à se conduire d'une façon si peu naturelle ?

Il fallait reconnaître qu'elle n'y allait pas par quatre chemins. Elle ne s'était absolument pas rendu compte qu'elle avait hanté le sommeil de ce garçon. Elle entendait bien qu'on lui réponde ;

la seule possibilité était donc de ne rien lui cacher. L'abbé aurait pu, à ce moment, avoir une hésitation. Pas Cadfael.

— Cela signifiait, répondit-il simplement, que l'infortuné ne pouvait vous oublier. Ce n'est pas parce que nous avons changé nos dispositions qu'il n'aurait pu continuer à vous porter la rose. Il a demandé à être relevé d'une tâche qui lui était devenue une torture ; et nous y avons consenti. Il ne supportait plus la souffrance que lui causaient votre présence, votre vue, la possibilité de vous toucher s'il le voulait et de vous savoir à mille lieues de lui, bref de n'avoir pas le droit d'aimer. Mais quand il a été libéré de ce tourment, il semble que votre absence ait été tout aussi douloureuse. Il s'en serait remis, ajouta Cadfael, triste et résigné, s'il avait vécu, mais sa convalescence aurait été longue et pénible.

Elle ne s'était pas détournée et son visage n'avait pas changé, sauf que le sang s'était retiré de ses joues. Elle était maintenant blême et translucide comme de la glace.

— Oh mon Dieu ! Et moi qui n'ai rien remarqué ! Il n'y a jamais eu un seul mot ni un regard... Je suis beaucoup plus âgée que lui et je ne suis pas une beauté ! C'est comme si on m'avait délégué un écolier. Je n'ai jamais pensé à mal. Comment est-ce arrivé ?

— Il était cloîtré presque depuis le berceau, souffla doucement Cadfael, sans avoir jamais approché une femme depuis qu'on l'avait séparé de sa mère. Il était sans défense devant un joli visage, une voix douce, une démarche gracieuse. Vous êtes incapable de vous voir avec ses yeux à lui, sinon vous pourriez bien être étonnée.

Elle reprit la parole après un moment de silence :

— J'ai vaguement senti qu'il n'était pas heureux, mais c'est tout. Et combien d'entre nous peuvent se vanter de l'être ? Est-il indispensable que ces choses s'ébruitent ?

— Eh bien, le père abbé, frère Richard, son confesseur, frère Anselme et moi sommes au courant. Et vous maintenant. Cela s'arrêtera là. Aucun de nous ne songerait à vous reprocher quoi que ce soit. Il n'y a aucune raison.

— Mais moi, si, je m'en veux.

— Alors vous êtes injuste. Il ne faut pas s'exagérer nos responsabilités. C'était l'erreur d'Eluric.

Une voix d'homme, jeune, agitée, s'éleva dans la boutique et on entendit celle de Niall s'empresser de le rassurer. Miles s'engouffra par la porte ouverte tandis que, derrière lui, le soleil dessinait sa silhouette et jouait dans ses cheveux clairs en bataille, leur donnant une nuance très blonde alors qu'il était châtain clair. Il était rouge, hors d'haleine, mais il poussa un grand soupir de soulagement en voyant Judith assise très droite ; elle ne pleurait pas et elle était en rassurante compagnie.

— Dieu du ciel, que s'est-il passé ici ? On raconte des histoires épouvantables sur la Première Enceinte. Y a-t-il du vrai là-dedans, mon frère ? Ma cousine… je savais qu'elle devait venir ici ce matin. Dieu merci, ma chère, tu es saine et sauve et avec un ami. Tu n'as pas de mal ? Je suis venu au pas de course pour te ramener à la maison dès que j'ai appris ce qui se colportait.

Son arrivée bruyante avait dispersé aux quatre vents l'atmosphère solennelle qui imprégnait la pièce et son énergie avait ramené un peu de couleur sur le visage figé de Judith. Elle se leva pour l'accueillir et le laissa la serrer, impulsivement, dans ses bras en baisant sa joue glacée.

— Mais non, ça va. Tu n'as aucune raison de t'inquiéter. Frère Cadfael a eu la gentillesse de rester avec moi. Il était arrivé avant, ainsi que le père abbé. Mais je n'ai jamais été en danger ni menacée.

Tout en continuant à la tenir enlacée d'un geste protecteur, Miles tourna la tête vers Cadfael, les sourcils froncés, inquiet.

— Mais il y a bien eu un mort ? Ou est-ce une rumeur sans fondement ? Il paraîtrait qu'un moine de l'abbaye a été emporté d'ici le visage couvert…

— C'est hélas vrai, admit Cadfael, se levant avec une certaine lassitude. On a trouvé frère Eluric, le gardien de l'autel de sainte Marie, mort. Il avait été poignardé.

— Hein ? Quoi ? Dans la maison ?

Il n'avait pas l'air d'y croire. Ce qui n'avait rien d'étonnant. Qu'est-ce qui avait bien pu pousser un religieux de l'abbaye à envahir le logis d'un artisan ?

— Dans le jardin. Sous le rosier, expliqua brièvement Cadfael. Qui avait été sérieusement endommagé. Votre cousine vous en parlera. Il vaut mieux entendre la vérité qu'écouter ces rumeurs auxquelles nul ne peut échapper. Maintenant, il faudrait raccompagner votre parente, afin qu'elle puisse se reposer. Elle en a grand besoin.

Il ramassa sur le seuil le moulage de cire auquel le jeune homme lança un regard curieux, et le reposa avec précaution sur sa besace pour éviter qu'on y touche.

— Vous avez raison ! acquiesça Miles qui rougit comme un gamin rappelé à son devoir. Mille mercis pour votre bonté, mon frère.

Cadfael les suivit dans l'atelier. Niall était à son banc. Il se leva pour les saluer quand ils prirent congé. C'était un homme discret, il avait eu la délicatesse de se retirer pour éviter de les déranger dans leur discussion. Judith le considéra gravement et, sortant de sa réserve, forte de son innocence intacte, elle lui adressa un léger mais adorable sourire.

— Maître Niall, je suis désolée de vous avoir causé tant de difficultés et de soucis, et je vous suis reconnaissante de votre gentillesse. J'ai aussi quelque chose à reprendre et une dette envers vous, auriez-vous oublié ?

— Non, la rassura Niall. Mais je vous aurais apporté l'objet à un moment plus favorable.

Il se tourna vers l'étagère derrière lui et en retira la ceinture enroulée. Elle lui paya ce qu'elle lui devait sans faire de façons dès qu'il lui annonça le prix, puis elle la déroula et tint la boucle entre ses mains, contemplant longuement le cadeau enfin réparé de son mari. Pour la première fois, elle eut les yeux brillants sans toutefois se mettre à pleurer.

— Le moment est parfaitement choisi, murmura-t-elle, regardant Niall bien en face, pour que ce petit objet auquel je suis très attachée me donne tant de joie.

Ce fut le seul plaisir qu'elle eut de la journée et encore il s'accompagna d'une souffrance aiguë. L'agitation, le bavardage incessant et vain d'Agathe lui furent aussi insupportables que l'inquiétude discrète mais toujours présente de Miles. Elle avait en permanence devant les yeux le visage sans vie de frère Eluric. Comment avait-elle pu ne pas remarquer son angoisse ? Elle l'avait reçu et remercié non pas une mais trois fois, en percevant simplement un peu d'inconfort qu'on aurait pu mettre sur le compte de la timidité. Elle se doutait qu'il ne nageait pas dans le bonheur, mais elle s'était demandé si, cloîtré depuis l'enfance, il avait vraiment la vocation. Elle était tellement plongée dans ses propres soucis qu'elle s'était montrée insensible à ceux du jeune homme. Même dans la mort, il ne lui adressait aucun reproche. C'était inutile. Elle s'en chargeait pour lui.

Elle aurait volontiers cherché un divertissement en se donnant de l'occupation, mais elle avait peur d'affronter les murmures effarés et les silences pesants des ouvrières de l'atelier de tissage. Elle décida finalement de rester assise dans la boutique où, si des curieux décidaient de venir la dévisager, ils arriveraient au moins un par un, et parmi eux il s'en trouverait peut-être certains qui désireraient sincèrement acheter du drap ou n'auraient pas encore appris la nouvelle qui se murmurait dans tout Shrewsbury et se répandait comme une traînée de poudre.

Mais même cela était difficile à supporter. Elle eût été heureuse de voir le soir descendre et de pouvoir tirer les volets. Hélas un client de dernière heure, venu prendre un lé de tissu pour sa mère, se mit en tête de s'attarder et de compatir avec elle dans l'intimité, enfin pour autant qu'il régnait un soupçon d'intimité malgré les interventions intempestives d'Agathe, qui tenait à ne pas laisser sa nièce seule un instant. Il n'empêche que ces brèves minutes de tête à tête, Vivian Hynde sut les mettre à profit.

C'était le fils unique du vieux William Hynde qui possédait les plus grands troupeaux de moutons des collines du centre du comté. Depuis des années il vendait régulièrement aux Vestier les moins belles de ses toisons tandis qu'il réservait les meilleures aux courtiers qui les rassemblaient pour les expédier vers le nord de la France et les villes lainières des Flandres, à partir de ses entrepôts et sa jetée en amont, à côté des ateliers de Godfrey Fuller. Depuis des générations, les deux familles collaboraient sur le plan commercial, ce qui rendait très normale cette visite, même pour ce jeune homme dont on prétendait qu'il s'entendait plutôt mal avec son père ; il ne fallait pas s'attendre à ce qu'il lui succédât et il n'y aurait pas de troisième génération de lainiers. S'il avait du talent, c'était essentiellement celui de jeter par les fenêtres l'argent que gagnait son père. A tel point qu'on racontait que celui-ci avait violemment tapé du poing sur la table et refusé de continuer à payer les dettes de son héritier. Il ne lui donnait même plus un liard pour jouer aux dés, courir la gueuse et mener la grande vie. William avait déjà sorti ce bon à rien de situations embarrassantes à maintes reprises, mais maintenant, sans son appui, les ressources ordinaires du garçon n'étaient pas vraiment de nature à lui valoir un crédit solide. Les amis d'un jour oublient facilement leur protecteur et idole de naguère quand il est à court d'argent.

Cependant, pour le moment, Vivian paraissait aussi faraud qu'à l'ordinaire ; il déploya tout son charme, toute sa grâce, pour consoler une veuve éplorée. En vérité, ce grand jeune homme athlétique avait beaucoup d'allure. Ses cheveux blonds comme les blés bouclaient admirablement et, sous cette lumière, ses yeux bruns avaient de surprenants reflets dorés. Il était toujours très élégant et il savait que les filles étaient folles de lui. S'il n'avait pas réellement progressé auprès de la veuve Perle, il n'était pas le seul ; il y avait donc encore de l'espoir.

Il eut assez d'esprit pour se montrer délicat en

l'occurrence ; il lui manifesta de la sympathie et de l'intérêt tout en évitant une curiosité excessive. Il savait, quand il le fallait — question d'habitude —, y aller sur la pointe des pieds. Il n'ignorait pas non plus le côté superficiel de sa personnalité et il eut le front de la taquiner pour la voir sourire.

— D'après moi, si vous vous enfermez dans votre coin pour vous désoler sur quelqu'un que vous connaissez à peine, votre bonne tante vous rendra encore plus mélancolique. Elle vous a déjà à moitié convaincue d'entrer au couvent. Et cela, énonça Vivian avec emphase, c'est une erreur capitale.

— Je ne serai pas la première, et mes raisons ne sont ni pires ni meilleures. Pourquoi ?

— Parce que... parce que vous êtes jeune et belle, s'exclama-t-il rayonnant, et il se pencha, baissant la voix de crainte qu'Agathe ne choisisse ce moment pour réapparaître sous un prétexte quelconque, et que vous ne tenez pas à vous enterrer dans un monastère. Vous le savez bien ! Et aussi parce que je suis votre admirateur passionné, ça aussi vous le savez. Si vous disparaissez de ma vie, j'en mourrai.

Elle pensa que si cet aveu n'était pas du meilleur goût, il partait d'un bon sentiment. Elle éprouva une certaine émotion en voyant qu'il retenait son souffle et que son regard se voilait, car il se rendait compte qu'il avait mal choisi le jour pour une telle confidence.

— Oh, je vous prie de m'excuser ! Je suis un

parfait idiot ! Je ne voulais pas... Mais mes intentions sont pures. Permettez-moi de partager votre vie et je vous convaincrai. Epousez-moi et je vous protégerai. Je vous redonnerai confiance.

Plus tard elle commença à se demander si tout cela n'était pas calculé car ce jeune homme était subtil et persuasif. Mais pour le moment elle était désemparée et doutait d'elle-même, incapable de prêter à quiconque, sauf à elle-même, la moindre malhonnêteté. Ce n'était pas la première fois que Vivian se conduisait ainsi envers elle, et jusqu'à présent sans succès. Aujourd'hui, elle ne voyait plus qu'un jeune homme à peine plus âgé que frère Eluric et qui, malgré les flatteries excessives qu'il lui adressait, souffrait peut-être du même mal. Elle avait si lamentablement échoué à apporter le moindre réconfort au pauvre petit moine qu'elle se devait d'autant plus de prêter attention aux autres. Aussi fut-elle tolérante et, si ses réponses furent d'une aimable fermeté, elle lui consacra plus de temps qu'elle ne lui en aurait accordé d'ordinaire.

— C'est de la folie de parler ainsi. On se connaît depuis l'enfance, vous et moi. Je suis votre aînée, veuve de surcroît, je ne suis pas du tout l'épouse qu'il vous faut. D'ailleurs je ne compte pas me remarier. Voilà la vérité, vous devez vous y résigner au lieu de continuer à perdre votre temps.

— En ce moment vous vous tourmentez pour la mort de ce moine, s'écria-t-il, véhément. Dieu sait pourtant que vous n'en êtes pas responsable.

Mais il n'en sera pas toujours ainsi. Dans un mois vous verrez les choses tout autrement. Et cette charte qui vous pose problème, on peut la modifier. Vous pouvez, non, vous devez vous débarrasser de cette obligation, et adieu les remords. Vous voyez bien que ça n'était pas raisonnable.

— Oui, admit-elle, résignée, c'était de la folie de fixer un prix, même nominal, pour un cadeau. Je n'aurais jamais dû. Cela n'a apporté que des souffrances. Mais il est vrai qu'on peut arranger cela.

Apparemment cette discussion qui se prolongeait était un encouragement pour Vivian, et ce n'était pas du tout ce qu'elle voulait. Aussi argua-t-elle de sa fatigue bien réelle pour se libérer de ses trop longues assiduités aussi gentiment que possible. Il s'en alla à contrecœur, mais avec grâce. Depuis l'encadrement de la porte, il lui adressa un long regard avant de pivoter et de s'éloigner à grandes enjambées le long de la rue que l'on appelait la Maerdol et qui descendait vers le pont.

Mais même après son départ, la soirée continua à retentir des échos du matin, rappels du désastre, reproches d'inconséquence, cependant qu'Agathe remuait le couteau dans la plaie.

— Ah, c'est malin ce contrat digne d'un roman de chevalerie, comme si tu étais une gamine. Te rends-tu compte ? Une rose, non mais a-t-on idée ! Tu n'aurais jamais dû donner aussi inconsidérément la moitié de ton patrimoine sans savoir quand toi ou ta famille en aurait un besoin

114

urgent. Et regarde le résultat : un meurtre ! Tout ça à cause de cette charte ridicule.

— Inutile de continuer à t'inquiéter, murmura Judith d'un ton las. Je le regrette. Il n'est pas trop tard pour tout changer. Et maintenant, laisse-moi tranquille. Tu crois que je n'ai pas déjà pensé à tout ça ?

Elle alla se coucher de bonne heure et la petite Branwen qui, à cause de son éruption, n'avait plus à carder la laine et travaillait pour le moment à la maison, vint s'occuper d'elle. Elle plia et mit dans un coffre la robe que sa maîtresse venait d'enlever et tira le rideau de la fenêtre sans volet. Branwen aimait bien Judith, mais pour l'occasion elle n'était pas fâchée d'avoir été libérée tôt. En effet le serviteur de Vivian était resté sur place pour rapporter le tissu de Mme Hynde. Il était confortablement installé à la cuisine où il jouait aux dés avec Bertred, le contremaître des tisserands. Ils ne manquaient de charme ni l'un ni l'autre et appréciaient les jolies filles. Branwen, elle, ne se formalisait pas de jouer la petite chatte que se disputent deux beaux matous. Il lui semblait parfois que Bertred était ambitieux et qu'il lorgnait avec intérêt du côté de sa maîtresse. Il était très fier de sa taille robuste et de son visage agréable ; en outre il se tenait très droit et s'exprimait bien. Mais cela ne le mènerait nulle part ! Et avec pour vis-à-vis Gunnar, le domestique du fils Hynde, manifestement captivé, il saurait peut-être se pencher sur une femme plus à sa portée.

— Allez, va maintenant, souffla Judith, laissant couler son opulente chevelure sur ses épaules, je n'aurai plus besoin de toi pour ce soir. Mais réveille-moi très tôt demain matin, ajouta-t-elle, d'un ton résolu. Je compte aller à l'abbaye. Je ne laisserai pas traîner cette histoire une minute de plus. Demain j'irai voir l'abbé et nous établirons un nouveau document. Finies les roses ! Ce à quoi j'ai renoncé pour un loyer ridicule sera exempt de toute condition.

Branwen était très fière d'avoir été choisie pour servir Judith, et elle s'imagina un peu vite que cette dernière lui accordait toute sa confiance, ce qui était loin d'être le cas. Avec ces deux hommes à la cuisine, qu'elle ne laissait pas indifférents et qui étaient tout prêts à se laisser séduire, il ne faut pas s'étonner si elle se vanta d'avoir été la première à être mise dans la confidence des plans de sa patronne pour le lendemain. Dommage vraiment que Gunnar se rappelât si vite qu'il devait rapporter le lainage de Mme Hynde et que, s'il tardait, il pourrait bien lui en cuire. Ce qui la laissait seule avec Bertred, qu'elle préférait en définitive ; mais le regard possessif de ce dernier envers une fille de la maisonnée perdit beaucoup de son acuité quand son rival se fut éclipsé. Finalement, la soirée s'avéra fort décevante et Branwen regagna son lit d'assez mauvaise humeur, partagée entre le désappointement et le ressentiment, dégoûtée des hommes.

Le petit Alan Herbard, l'adjoint de Hugh,

malgré sa détermination et son sens du devoir, réfléchit à ce que signifiait s'occuper seul d'une affaire de meurtre et dépêcha un courrier dès que la nouvelle lui parvint : le lendemain à midi, Hugh serait sûrement de retour à Shrewsbury, pas chez lui où seule une vieille servante restait à demeure en l'absence de la famille, mais au château où il aurait sous la main la garnison, les sergents et tout le reste.

Entre-temps, avec son moulage en plâtre et la bénédiction de l'abbé, Cadfael se rendit en ville où il montra l'empreinte et le dessin à Geoffroi Corvisart et à son fils Philippe qui étaient les principaux cordonniers et tanneurs de la cité.

— Tôt ou tard les bottes finissent dans votre atelier, déclara Cadfael de but en blanc, même si c'est seulement l'an prochain ou après. De toute manière, il n'y a pas de mal à garder un exemplaire de ma petite preuve et à chercher l'original parmi ce qu'on vous apporte à réparer.

Philippe prit délicatement le moulage entre ses mains et hocha la tête devant les indices qu'il était susceptible de fournir.

— Non, ça ne me rappelle rien, mais on reconnaîtra facilement le propriétaire s'il arrive par ici. Je le montrerai à mes collègues de Frankwell, de l'autre côté du pont. Entre nous, qui sait, on finira peut-être par attraper notre homme. Mais nombreux sont ceux qui réparent leurs chaussures eux-mêmes.

Et dans la voix de ce bon artisan passa un dédain tout professionnel.

Force était d'admettre que les chances semblaient maigres, reconnut Cadfael en marchant
vers le pont, mais ce n'était pas une raison pour
les négliger. Ils ne disposaient pas de grand-chose
d'autre pour commencer. Où que l'on se tournât,
on butait sur la question essentielle, mais sans
réponse : qui avait bien pu vouloir détruire le
rosier ? Pour quelle raison ? Tout le monde se
l'était posée vainement et elle se poserait de
nouveau quand Hugh arriverait.

Au lieu de s'arrêter au portail, Cadfael poursuivit sa route et remonta toute la Première
Enceinte où voletait de la poussière. Il passa
devant la boulangerie, la forge, saluant ceux qu'il
croisait au détour d'une cour ou d'une haie ; il
tourna au portail de la cour de Niall et arriva au
guichet menant au jardin. Il était verrouillé de
l'intérieur. Il se dirigea vers la boutique où travaillait l'orfèvre. Avec un petit creuset de céra-
mique et un minuscule moule d'argile, il fabriquait une broche.

— Je suis venu voir si vous aviez eu d'autres
visiteurs du soir, l'informa Cadfael. Mais je
constate que vous avez fermé un des accès chez
vous. Dommage que le mur ne soit pas assez haut
pour empêcher un homme décidé d'entrer. Enfin, boucher un trou, c'est mieux que rien. Et le
rosier, va-t-il mourir ?

— Venez voir par vous-même. Un côté peut-
être est condamné, mais ça ne concerne que deux
ou trois branches. Il sera un peu de guingois,
sûrement pas plus d'un an. La pousse et l'élagage
lui rendront son équilibre.

118

Dans la verdure, les rayons du soleil et les mille couleurs du jardin, le rosier lançait fermement ses branches le long du mur nord ; celles qui s'étaient détachées avaient été fixées à l'aide de morceaux de tissu. Niall avait soigneusement entouré le fût endommagé avec de la toile solide, liant ensemble les rameaux mutilés, et il avait entouré cette protection d'une couche épaisse de cire et de graisse.

— Il y a de l'amour dans ce geste, approuva Cadfael, qui préféra s'abstenir de préciser si le sentiment se portait sur l'arbre ou sur la femme.

Les feuilles du côté taillardé s'étaient fanées, quelques-unes étaient tombées, mais dans son ensemble le massif restait vert et brillant, avec de nombreux bourgeons à demi ouverts.

— Vous vous êtes bien débrouillé. Si vous en avez assez du monde et du siècle, je vous embauche à la clôture.

Niall, qui était plutôt calme, ne se donna pas la peine de relever l'allusion. Ses sentiments à l'égard de la rose et de Judith ne regardaient que lui. Cadfael respectait sa discrétion et, regardant ses grands yeux bien écartés où se mêlaient l'honnêteté et la réserve, il prit congé car il avait lui aussi ses occupations. Il éprouvait le sentiment d'avoir été réprimandé, et pourtant il était heureux. Il y avait au moins quelqu'un, dans cette triste histoire, qui s'occupait de ses affaires et ne se laisserait pas aisément détourner de son but. En outre, cet homme paraissait désintéressé. Car, dans toute cette affaire, les questions d'intérêt l'emportaient, hélas, largement sur l'amour.

Il était déjà près de midi. Le soleil brûlait haut et chaud. Une vraie journée de juin. Sainte Winifred avait dû se donner du mal pour que les puissances célestes lui fissent honneur le jour de sa translation. Comme cela arrivait fréquemment lors des étés tardifs, la saison avait d'abord succédé à un printemps paresseux : les fleurs ne se décidaient pas à s'ouvrir, puis brusquement elles s'épanouissaient fébrilement et les bourgeons explosaient du jour au lendemain. Les récoltes, plus lentes à se réveiller, auraient peut-être un mois de retard, mais elles seraient abondantes et saines, la moitié de leurs ennemis héréditaires ayant gelé sur pied en avril et en mai.

Sur le pas de la porte de sa loge, le portier était en grande conversation avec un jeune homme très excité. Cadfael, incapable comme souvent de résister à la curiosité, s'arrêta et pivota, reconnaissant Miles Coliar, qui était d'ordinaire calme et bien mis, mais pas aujourd'hui. Il avait les cheveux en bataille et l'inquiétude écarquillait ses yeux bleus sous ses sourcils châtains. Miles tourna la tête en entendant quelqu'un s'approcher. Soucieux comme il était, il reconnut un moine qu'il avait vu pas plus tard que la veille s'entretenir amicalement avec sa cousine. Aussitôt, il se dirigea vers lui.

— Je vous ai déjà vu, mon frère, vous avez hier apporté aide et réconfort à Judith. Vous ne l'auriez pas rencontrée aujourd'hui ? Elle ne serait pas venue vous parler ?

— Mais non. Pourquoi ? Qu'est-ce qu'il y a

encore ? Elle est rentrée avec vous hier. Il ne lui est rien arrivé de grave, j'espère.

— Pas que je sache. A ma connaissance elle s'est couchée de bonne heure et je comptais qu'elle dorme bien. Mais à présent... murmurat-il, jetant à la ronde un coup d'œil vague, un peu égaré. A ce qu'il paraît, elle est sortie pour venir ici. Mais...

— Absolument pas, affirma le portier. Je n'ai pas quitté mon poste, je saurais si elle s'était présentée au portail. Je connais cette dame depuis qu'elle est venue nous offrir sa maison. Je ne l'ai pas vue de la journée. Mais maître Coliar ici présent affirme qu'elle est sortie de chez elle à la première heure.

Miles confirma avec véhémence.

— Avant même que je me réveille.

— Et avec l'intention de parler au père abbé, ajouta le portier.

— C'est ce que m'a dit sa servante à qui Judith l'avait confié quand la petite s'est occupée d'elle à son coucher. Je n'ai été mis au courant que ce matin. Mais il semble qu'elle ne soit pas là. Elle n'est jamais parvenue jusqu'ici et elle n'est pas rentrée à la maison. Il est midi et elle n'est pas là. Je crains qu'il ne lui soit arrivé malheur.

CHAPITRE SIX

Ils étaient cinq à s'être réunis d'urgence dans le parloir de l'abbé : Radulphe lui-même, frère Anselme et frère Cadfael, témoins pour cette charte qui avait contribué à provoquer ces terribles événements, Miles Coliar, que l'anxiété rendait fébrile, et Hugh Beringar qui avait quitté Maesbury à bride abattue à cause du meurtre d'Eluric, pour s'apercevoir à son arrivée qu'une autre crise n'avait pas tardé à suivre la première. Il avait déjà demandé à Alan Herbard d'envoyer des hommes dans toute la ville et la Première Enceinte pour voir s'ils trouveraient trace de la disparue, avec ordre de prévenir aussitôt si par hasard elle avait regagné son domicile. Après tout, elle avait peut-être les meilleures raisons du monde de s'être absentée. Il avait pu lui arriver quelque chose d'imprévu qui l'avait retardée en chemin. Mais plus le temps passait et moins cette hypothèse devenait vraisemblable. Branwen, en pleurs, avait raconté son histoire qui ne laissait aucun doute sur l'intention de Judith de se rendre à l'abbaye, ni sur le fait qu'elle n'y était jamais arrivée.

— C'est seulement ce matin que la petite m'a rapporté les propos de ma cousine, s'écria Miles en se tordant les mains. Je n'étais pas au courant, sinon j'aurais pu l'accompagner. D'autant plus que, de la ville, c'est vraiment à deux pas ! Le garde en faction à la porte principale de la cité lui a donné le bonjour et l'a vue s'engager sur le pont. Mais après il a été occupé et il n'avait aucune raison de la surveiller. Depuis ce moment, plus rien. Volatilisée !

— Il semble qu'elle comptait mettre un terme au loyer de la rose, remarqua Hugh, très attentif, et n'entendait plus faire dépendre sa générosité envers l'abbaye d'aucune condition.

— Oui, d'après la servante, c'est exactement ce qu'avait décidé Judith. La mort du jeune moine l'avait beaucoup affectée. Je suis sûr qu'elle s'était mis en tête qu'elle était à l'origine de ce meurtre, elle a de ces lubies...

— Encore faudrait-il expliquer en quoi, objecta l'abbé Radulphe. Il apparaît clairement que frère Eluric a détourné l'attaque contre le rosier, ce qui lui a valu d'être tué, dans un moment de panique peut-être, mais les faits sont là. Ce que je ne comprends pas, pour commencer, c'est pourquoi on voulait détruire le massif. Sans cet acte inexplicable, on n'en serait jamais arrivé à ce drame. Non, j'ai beau y réfléchir, je ne parviens pas à distinguer de mobile valable.

Miles se tourna vers lui avec beaucoup de véhémence.

124

— Désolé de vous contredire, père, il y en a qui ont très mal pris de voir ma cousine abandonner une aussi belle propriété qui représentait la moitié de sa fortune. Si le massif était rasé et les roses mortes pour la translation de sainte Winifred, le loyer ne pourrait pas être payé et les conditions de la charte ne seraient pas remplies. Tous les accords passés pourraient être abrogés.

Hugh riposta d'un ton vif que ce n'était qu'une éventualité.

— La décision serait toujours du ressort de votre cousine qui peut modifier le contrat à sa guise. Et vous voyez qu'elle y tenait.

— Je vous l'accorde, répliqua Miles du tac au tac, si elle est là pour s'en occuper. Seulement elle n'est pas là, il reste quatre jours avant l'échéance et elle a disparu. C'est du temps de gagné, croyez-moi ! Puisqu'il n'a pas réussi avec le rosier, il a enlevé ma cousine. Elle n'est plus là pour exprimer sa volonté. Il a échoué dans sa première tentative, il a donc cherché une autre solution.

Il y eut un bref et profond silence avant que l'abbé ne prît lentement la parole :

— Est-ce vraiment ce que vous pensez ? Car, à vous entendre, on en a le sentiment.

— Oui, mon révérend père, je ne vois pas d'autre possibilité. Hier elle annonce qu'elle compte lever toutes les conditions à la location de la maison. Aujourd'hui, on l'en empêche : il fallait agir vite.

— Et pourtant, jusqu'à ce matin, vous n'étiez

pas au courant, murmura Hugh. Qui d'autre pouvait bien l'être ?

— Sa servante reconnaît qu'elle a tout répété à la cuisine. Qui sait combien étaient présents et à qui ils ont eux-mêmes pu en parler ? Ce genre de propos se répand par les trous de serrure et les fentes des volets. En outre, il n'est pas exclu que Judith ait rencontré quelqu'un de connaissance sur le pont ou la Première Enceinte et mentionné sa destination. Même si cette clause a été stipulée à la légère et d'une manière irréfléchie, son non-respect rendrait le contrat nul et non avenu. Je ne vous apprends rien, père.

— En effet, je le sais, reconnut Radulphe, qui se résolut à poser l'inévitable question :

— Qui pourrait avoir intérêt à rompre cet accord sans reculer devant un crime ?

— C'est que ma cousine est riche et veuve, par-dessus le marché. Elle représente un parti d'autant plus enviable que son don à l'abbaye pourrait être annulé. Elle a foule de prétendants en ville, et ce depuis un an et plus. Tous préféreraient l'épouser avec sa fortune entière, au lieu de se contenter de la moitié. Moi, je gère ses affaires, ce que j'ai me suffit et celle que je vais épouser avant la fin de l'année est loin d'être à plaindre. Mais même si nous n'étions pas cousins au premier degré, je ne m'intéresserais à Judith qu'en tant que parent loyal et artisan de surcroît. Je n'y suis pour rien si elle est persécutée par tous ces soupirants. Ce n'est pas qu'elle les encourage, ni même qu'elle leur donne le moindre espoir,

126

mais ils continuent malgré tout à essayer. Ils se disent qu'après trois ans de veuvage sa résolution finira par faiblir et qu'ils la convaincront de choisir enfin un second mari. C'est peut-être l'un d'eux qui a perdu patience.

— Donner des noms est parfois délicat, remarqua Hugh à mi-voix, mais la qualité de prétendant ne conduit pas nécessairement à l'enlèvement, avec un meurtre en prime. Il me semble, maître Coliar, que vous êtes allé trop loin pour pouvoir reculer maintenant. Je vous écoute.

Miles s'humecta les lèvres et s'essuya le front d'un revers de manche.

— Dans les affaires, monsieur, l'argent appelle l'argent. Il y a deux membres de la guilde de la ville qui seraient trop heureux de mettre la main sur le commerce de Judith. Tous deux travaillent avec elle et savent pertinemment la fortune qu'elle représente. Il y a Godfrey Fuller qui teint et foule toutes les toisons qu'on traite : il ne serait pas fâché du tout si le filage et le tissage tombaient aussi dans son escarcelle, ce qui lui permettrait de coiffer, pour son plus grand profit, l'ensemble des opérations. L'autre, c'est le vieux William Hynde ; il est toujours marié, lui, mais il pourrait s'emparer des biens des Vestier par l'intermédiaire de son prodigue de fils qui vient la courtiser à tout bout de champ. Il a ses entrées parce qu'ils se connaissent pratiquement depuis toujours. Le père a peut-être l'intention d'utiliser son fils pour appâter Judith, bien qu'il ait sévèrement resserré les cordons de la bourse et refusé

127

de payer plus longtemps les dettes de cet intéressant jeune homme. Quant à lui, s'il arrive à la conquérir, il me semble qu'il serait tranquille pour le restant de ses jours. Il n'aurait plus à en passer par les quatre volontés de son père à qui il pourrait rire au nez. Attendez, je n'ai pas fini. Notre voisin, le sellier, est en âge de se marier et, à sa façon, pas très subtile, il s'est mis sur les rangs. Par-dessus le marché, notre premier tisserand est un excellent artisan, très bel homme, qui, selon moi, se croit mieux encore qu'il ne l'est. Depuis quelque temps, il lance à ma cousine des regards de chien battu, qu'à mon avis elle n'a pas remarqués. Il ne serait pas le premier ouvrier à avoir attiré l'attention de sa maîtresse en y trouvant son avantage.

— J'ai du mal à imaginer nos honorables marchands recourant au meurtre et à l'enlèvement, objecta l'abbé, peu disposé à accepter facilement une suggestion à ce point scandaleuse.

— Ce crime semble avoir été la conséquence de l'affolement et de la terreur, intervint Hugh d'un ton alerte. Il n'a probablement jamais été prémédité. Cependant, si on a été forcé d'aller jusque-là, pourquoi hésiter devant un deuxième forfait ?

— Cela me paraît quand même assez risqué. D'après ce que je sais ou ce que l'on m'a rapporté de cette dame, elle n'est pas du genre à se laisser persuader aisément. Libre ou prisonnière, elle a jusqu'à présent tenu tête à toutes les flatteries. Ce n'est pas maintenant qu'elle va changer. Je comprends le poids considérable de la rumeur en pareil cas, continua l'abbé, morose, et qu'une femme soit obligée de céder et de se marier pour ne pas avoir à subir les soupçons, la malveillance et l'inimitié qui s'ensuivra fatalement entre les familles. Je crois quand même cette jeune femme assez forte pour résister même à cette pression, condamnant son ravisseur à s'être donné tout ce mal pour rien.

Miles aspira profondément, passa la main dans ses boucles claires, les ébouriffant du même coup.

— C'est parfaitement exact, père, Judith n'est pas une mauviette et ne se laissera pas contraindre de la sorte. Mais on peut imaginer plus grave. Le mariage à la suite d'un viol, ce n'est pas une nouveauté. Une fois au pouvoir d'un homme, sans aucun moyen de s'échapper, si les cajoleries et l'appel à la raison restent sans effet, il y a encore la force. Ce ne serait pas la première fois, ni la dernière. Le seigneur Beringar ici présent sait que cela arrive chez les nobles. Moi je sais que ça se produit aussi chez les roturiers. Même un marchand de la ville peut y avoir recours. Je connais ma cousine ; plutôt que de perdre sa réputation, elle préférerait essayer d'arranger cette situation déplorable en se mariant, aussi désolante que puisse être cette solution.

— Désolante, c'est le mot ! acquiesça Radulphe, profondément choqué. Il faut absolument empêcher cela. Hugh, cette maison est concernée au premier chef du fait de la charte et de ce qu'elle représente. Toute l'aide dont vous pourrez avoir besoin pour retrouver cette infortunée vous est acquise : hommes, argent, tout. Inutile même de demander, prenez ! Quant à nos prières, elles ne vous manqueront pas non plus. Il reste encore une petit chance pour qu'elle soit indemne, qu'elle puisse regagner sa demeure de son plein gré et s'étonner de ce bruit et de cette agitation. Malheureusement, il nous faut tabler sur le pire et agir comme si nous recherchions une âme en péril.

— En ce cas, autant s'y mettre tout de suite, s'exclama Hugh, se levant pour prendre congé.

Miles sauta sur ses pieds d'une détente nerveuse, impatient de partir, et il serait arrivé le premier à la porte si Cadfael n'était pas intervenu pour la première fois.

— On m'a rapporté, maître Coliar, en fait je le tiens de Mme Perle elle-même, qu'elle a parfois songé à quitter le siècle et à prendre le voile. Sœur Magdeleine s'est entretenue avec elle de cette vocation il y a quelques jours, je crois. Etiez-vous au courant ?

— Je savais que la sœur était venue à la maison, répondit Miles dont les yeux bleus s'agrandirent. Mais je n'ai pas été informé de la teneur de leur discussion et je n'ai rien demandé. C'était les affaires de Judith. Elle a parfois évoqué cette possibilité, mais pas depuis ces derniers jours.

— L'avez-vous encouragée dans cette voie ? demanda Cadfael.

— Je ne m'en suis jamais mêlé, en aucune façon. C'était à elle de décider, affirma Miles avec force. Mais je ne l'en aurais pas empêchée non plus si elle y tenait vraiment. Au moins le couvent aurait-il apporté une conclusion heureuse et paisible, ajouta-t-il avec une amertume soudaine. Maintenant Dieu seul connaît l'étendue de son désespoir.

— Quel bon petit cousin dévoué! murmura Hugh tandis qu'il traversait la grande cour avec Cadfael à ses côtés.

Miles se dirigeait vers la loge à grands pas, les cheveux en bataille. Il rentrait en ville, pressé de regagner la maison et la boutique du bout de la rue Maerdol. A présent il y avait peut-être du nouveau. Les chances étaient minces, mais sait-on jamais?

— Il a d'excellentes raisons d'être attaché à sa cousine, remarqua Cadfael avec bon sens. Sans Mme Perle et le commerce des Vestier, ni sa mère ni lui n'auraient cette situation confortable. Il a tout à perdre si elle est contrainte de prendre un époux. Il lui doit beaucoup mais l'a remboursée avec usure par sa reconnaissance et sa gestion efficace, c'est sûr et certain. Il travaille dur et bien, les affaires sont florissantes. Je comprends qu'il se fasse du mauvais sang pour elle. Il me semble avoir perçu quelque ironie dans vos propos, mon garçon. Douteriez-vous de sa sincérité?

— Non, non. Il n'en sait pas plus que nous, c'est évident. Un homme peut jouer la comédie jusqu'à un certain point, mais je n'ai connu personne capable de transpirer sur commande. Miles ne nous a pas menti. Il est prêt à mettre la ville sens dessus dessous pour retrouver sa cousine et c'est aussi mon rôle.

— Ce n'était qu'à deux pas de chez elle, murmura Cadfael, que ce détail inquiétait, car il ne laissait guère de doute sur le fait qu'elle avait disparu et que quelque chose lui était arrivé. Le garde à la porte lui a parlé, il lui suffisait de traverser le pont, de remonter la Première Enceinte et, en trois pas, elle était à la loge. Et pendant ces quelques minutes elle se volatilise.

— Moi aussi j'ai pensé au fleuve, avoua Hugh. Je ne prétendrai pas le contraire.

— J'ai du mal à y croire. Ou alors par une incroyable malchance. Nul ne devient plus riche ou ne développe son commerce en épousant une morte. Seul son héritier en profiterait — il me semble que ce jeune homme est son plus proche parent, non ? — et son héritier est fou d'inquiétude à l'idée qu'il lui soit arrivé malheur, vous l'avez constaté vous-même. Je ne crois pas qu'il nous ait raconté des histoires. Non, si un de ses soupirants s'est décidé pour une solution aussi extrême, il aura emmené la dame dans un endroit sûr, sans lui causer aucun tort. Inutile de prendre deuil dans l'immédiat, elle sera mieux gardée que les trésors de Golconde.

Cadfael tourna et retourna le problème dans sa tête jusqu'à vêpres et après. Du pont à la loge de l'abbaye, il n'y avait que trois sentiers à partir de la Première Enceinte : deux qui bifurquaient vers la droite de part et d'autre de l'étang du moulin pour desservir les six petites maisons qui s'y trouvaient ; l'autre descendait sur la gauche le long de la berge de la Gaye* et des jardins principaux de l'abbaye. Il n'y avait guère de quoi se cacher près de la grand-route, tout acte de violence était risqué dans les parages et, si l'on se plaçait du point de vue du conspirateur, les chemins qui menaient aux maisons du monastère présentaient l'inconvénient d'être visibles de toutes les fenêtres. En plein été, les volets seraient immanquablement ouverts. Certes une vieille femme qui vivait là était sourde comme un pot et n'aurait pas entendu même les cris les plus perçants, mais en général les vieillards ont le sommeil léger et agité. En outre, comme ils sont incapables de vaquer à leurs activité d'antan, la curiosité n'est pas leur moindre défaut, et elle les aide à meubler leurs journées monotones. Il faudrait être fou ou aux abois pour commettre une agression sous leurs fenêtres.

Il n'y avait pas d'arbres à proximité de la route sur la partie sud de la Première Enceinte, juste quelques buissons bas près de l'étang, et la pente menant à la rivière était couverte de taillis. Il n'y avait de vrais arbres qu'au bord, là où le sentier sinuait vers la Gaye, jusqu'à un bosquet pas très loin de la loge de l'abbaye, où commençaient les maisons de la Première Enceinte.

* Etendue de terre fertile bordant la Severn.

Evidemment, si une femme pouvait se laisser entraîner là, même dans cette ombre peu profonde, à une heure matinale où quelques rares gens risquaient de surgir, il ne serait pas difficile de profiter d'un moment où l'endroit serait désert et de la tirer plus avant dans le bosquet, voire parmi les buissons en lui immobilisant la tête et les bras avec un manteau. Mais dans ce cas il faudrait que la personne en question, homme ou femme, fût quelqu'un qu'elle connaissait, qui pouvait, sans que cela parût bizarre, lui parler un instant à côté de la chaussée. Ce qui cadrait assez bien avec la suggestion de Miles, car même un prétendant importun, qui se trouverait être aussi un voisin, serait reçu avec une tolérance polie si elle le croisait pendant la journée. Il est impossible de vivre autrement dans une ville murée et surpeuplée.

Il existait certainement d'autres raisons pour arracher une jeune femme à son foyer et à sa famille, mais il y avait très probablement un rapport avec la charte et le rosier. On ne pouvait en effet voir dans le massacre des fleurs un geste insensé, sans relation aucune avec la disparition qui suivit. Et s'il y avait un rapport, Cadfael avait beau se mettre le cerveau à la torture, il ne parvenait pas à l'imaginer. Une riche veuve, à la tête d'une entreprise, était forcément la coqueluche de ceux qui guignaient sa fortune. Le seul moyen de s'en sortir était celui que Judith avait envisagé : prendre le voile. Ou, bien entendu, épouser celui des concurrents qui lui plaisait le plus... ou lui déplaisait le moins. Ce que jusqu'à présent elle n'avait jamais envisagé. Il se pourrait donc bien que celui qui croyait avoir les meilleures chances de lui plaire ait tout misé sur la possibilité d'attendrir le cœur de la dame en la courtisant discrètement pendant quelques jours. Et s'il arrivait à la garder jusqu'après le vingt-deux juin, le contrat avec l'abbaye serait rompu aussi sûrement qu'en abattant le rosier et toutes ses fleurs. Même si le massif portait encore beaucoup de roses, si on ne retrouvait pas Judith à temps, on ne pourrait pas lui en remettre une en mains propres le jour où le terme viendrait à échéance. Si son ravisseur triomphait enfin et l'amenait à l'épouser, les biens de la dame passeraient sous le contrôle de son mari, qui pourrait refuser de reconduire le document et la forcer à le suivre. Il aurait ainsi tout gagné, et pas seulement la moitié. Oui, Cadfael était bien obligé de reconnaître que l'hypothèse de Miles, qui avait tout à perdre dans l'aventure, semblait de plus en plus convaincante.

Il regagna sa cellule sans cesser de penser à Judith dont il lui semblait que la situation était aussi du ressort de l'abbaye, et qu'il n'était pas question de s'en remettre uniquement au bras séculier. Demain, songea-t-il, allongé, les yeux grands ouverts dans la pénombre du dortoir, bercé par le ronflement régulier et grave de frère Richard, je suivrai le même itinéraire ; on verra si je trouve quelque chose. Qui sait ? Je dénicherai peut-être un indice plus significatif qu'une simple empreinte de botte au talon fatigué.

Il ne demanda pas l'autorisation de s'absenter ; l'abbé n'avait-il pas déjà promis à Hugh de lui fournir les hommes, les chevaux et le matériel qu'il lui faudrait ? Ce fut un exercice de gymnastique mentale relativement simple de penser que, si Hugh n'avait pas expressément réclamé son aide, il n'y aurait pas manqué s'il avait suivi les réflexions de son ami. Cadfael pratiquait assez volontiers ce genre de casuistique quand les circonstances lui semblaient le justifier.

Il sortit après le chapitre à l'heure où la Première Enceinte était balayée par les longs rayons obliques du soleil ascendant et où une lumière étincelante se mêlait à des ombres profondes. Dans la pénombre, l'herbe était encore humide de rosée et une vague lueur jouait sur les feuilles agitées par une brise légère. Derrière lui, l'animation montait ; les boutiques, les maisons s'ouvraient au souffle de l'été ; des ménagères, des gamins, des chiens, des charretiers, des colporteurs passaient sans arrêt et des groupes de commères se formaient. En cet été tardif mais d'autant plus attendu, la vie quittait les recoins des murs et des toits pour se répandre en plein soleil. Sous la façade ouest de l'église, de l'autre côté de l'allée du portail, l'ombre du clocher se profilait, pointue comme une lame de couteau ; le long du mur d'enceinte, elle s'allongeait, étroite, au pied de la muraille.

Cadfael marchait lentement, saluant des connaissances au passage tout en évitant de s'attarder à bavarder. Judith n'avait jamais atteint cette partie de la route qu'il parcourut plutôt par solidarité qu'avec l'espoir de parvenir à un résultat quelconque. A gauche le haut mur de pierre se prolongeait tout le long de la grande cour, de l'infirmerie et de l'école qu'elle abritait, puis il tournait à angle droit. C'est de là que partait le premier sentier menant aux maisonnettes de l'abbaye près du moulin, de ce côté de l'étang. Puis il y avait tout le plan d'eau, bordé par une haie de buissons bas. Il se refusait à croire que Judith Perle ait pu disparaître, enfouie dans les broussailles ou noyée dans l'onde. Celui qui l'avait enlevée — si elle avait été enlevée — avait besoin qu'elle restât en vie, saine et sauve, prête à être conquise. Hugh était forcé de lancer ses filets au loin et d'examiner chaque possibilité. Cadfael, lui, préférait suivre une idée à la fois. A l'heure qu'il était, Hugh se serait acquis l'aide de Madog du Bateau des Morts afin d'enquêter sur l'éventualité sinistre de la noyade tandis que les sergents du roi passeraient au peigne fin toutes les maisons, rues et ruelles de Shrewsbury à la recherche d'une prisonnière vivante. Madog connaissait à fond la Severn, tous les dangers qu'elle pouvait présenter selon les saisons, toutes ses courbes et ses hauts-fonds où ce que le courant avait emporté finissait par être rejeté. Si le fleuve l'avait prise, Madog la trouverait. Mais Cadfael considérait cette issue comme inacceptable.

Et si Hugh ne parvenait pas à la retrouver à l'intérieur des remparts de la ville ? Il faudrait étendre les recherches. Ce n'est pas une petite affaire d'emmener loin une dame qui n'est pas d'accord et en plein jour, qui plus est. Est-ce même réalisable sans recourir à un chariot. Un cavalier portant un colis soigneusement empaqueté devrait utiliser un cheval solide à cause du poids supplémentaire ; en outre, ce qui posait un problème plus grave encore, l'homme ne passerait pas inaperçu. Il y aurait toujours quelqu'un pour se souvenir de lui ou même lui poser des questions, la curiosité étant ce qu'elle est. Non, de toute évidence Judith ne devait pas être bien loin.

Cadfael passa devant la pièce d'eau et déboucha sur le second chemin qui menait aux trois maisons sur l'autre rive. Un peu plus loin, après les petits jardins, il y avait un champ dégagé à l'extrémité duquel une route étroite, tournant brusquement à gauche, piquait vers le sud en longeant le fleuve. S'il l'avait suivie, le ravisseur aurait sûrement pu s'enfoncer d'un mile ou deux dans la forêt, mais d'autre part, il n'y avait aucun abri le long de la berge. S'il avait perpétré son attaque à cet endroit, on aurait pu le voir depuis les murs de la ville, sur la rive d'en face.

Mais sur la droite de la Première Enceinte, après les dernières maisons, poussait un boqueteau touffu, et ensuite un chemin plongeait en pente raide vers la Severn à travers les arbres et les buissons. L'on accédait ainsi à la Gaye avec ses terres plates et riches. Quelques pas plus loin, une promeneuse pourrait rejoindre le pont, bien en vue et en sécurité. Ici on pouvait à la rigueur admettre qu'un prédateur ait eu le loisir de frapper et de disparaître avec sa proie. Il fallait absolument empêcher Judith d'atteindre l'abbaye et de transformer ses intentions en acte. Il n'y aurait pas d'autre occasion. La maison de la rose valait bien qu'on se donnât un peu de mal.

De minute en minute, la chose devenait plus crédible. Certes, on ne s'attendrait pas à un tel acte de la part d'un marchand ordinaire, respectueux des lois et estimé de tous; mais un homme qui a tâté d'un expédient relativement inoffensif et qui se retrouve avec un meurtre sur la conscience devient différent des autres.

Cadfael traversa la Première Enceinte et s'avança dans le bosquet à pas prudents pour éviter d'ajouter des empreintes à celles qui déjà jalonnaient le sol. Les gosses de la Première Enceinte venaient y jouer, suivis d'une cohorte de chiens bruyants et d'un cortège de gamins pleurnichards, encore trop petits pour être pris au sérieux et admis à participer aux jeux des grands. Les clairières plus discrètes servaient de refuge aux amoureux qui s'installaient dans l'herbe aplatie. Cadfael n'avait guère d'espoir de trouver grand-chose d'utile par ici.

Il revint vers la route et parcourut le sentier qui descendait vers la Gaye. Devant lui s'étendait le pont de pierre avec derrière la haute muraille de la ville et la tour de la porte. Le soleil baignait la route et donnait aux remparts une pâleur laiteuse. La Severn, dont le niveau était un peu haut pour la saison, brillait et coulait, apparemment calme et languide, mais il ne fallait pas s'y fier. Cadfael connaissait la vitesse des courants et la violence des tourbillons sous cette surface bleue où se reflétait le ciel. La plupart des petits garçons apprenaient pratiquement en même temps à marcher et à nager, d'ailleurs la rivière était parfois aussi tranquille que son masque souriant le donnait à penser, mais là où elle s'enroulait autour de la ville, ne laissant qu'une approche depuis la terre ferme, l'étroit goulet qu'enjambait le château, elle était dangereuse. Judith Perle savait-elle nager? Ce n'était pas facile pour les petites filles de se déshabiller et gambader parmi les hautes herbes de la rive comme les garçons qui rejoignaient les poissons. Assez peu d'entre elles devaient être bonnes nageuses.

Judith s'était engagée sur le pont du côté de la ville sans qu'il lui fût rien arrivé, le garde l'ayant vue commencer à traverser. Cadfael avait peine à croire qu'on ait osé l'agresser à cet endroit. Il lui suffisait de crier, la sentinelle l'aurait entendue et se serait précipitée, aussitôt sur le qui-vive. Elle était donc arrivée là où Cadfael se tenait. Et ensuite? Jusqu'à présent, d'après les rapports, nul ne l'avait revue.

Il commença sa descente vers la Gaye. C'était un chemin qui servait régulièrement, sans herbe, dont les buissons qui le bordaient reculaient peu à peu, laissant le champ libre aux cultures. Près de l'eau, ils poussaient bien, couvrant toute la pente jusqu'au bord du fleuve et sous la première arche du pont où, dans le temps, un moulin flottant s'était amarré pour profiter de la force du courant. A proximité de la berge une sente descendait vers l'aval, et tout à côté s'étendaient les jardins de l'abbaye, disposés le long de cette riche plaine. Trois ou quatre religieux y repiquaient des plants de choux et autres légumes. Plus loin, dans les vergers poussaient des pommes, des prunes, des poires, des cerises ; il y avait aussi deux grands noyers et des buissons bas de groseilles à maquereau acides, qui commençaient juste à rougir. On apercevait enfin un moulin désaffecté au bout du chemin et les terres de l'abbaye se terminaient par un champ de blé. Puis des crêtes boisées dominaient l'eau dont les tourbillons érodaient la berge sous les racines.

De l'autre côté de la large rivière s'élevait la colline de Shrewsbury dans une grande étendue verte que les murs de la ville semblaient couronner. Deux ou trois petits guichets ouverts dans le rempart donnaient accès aux jardins et à la prairie en contrebas. Il était facile de les fermer solidement en cas d'attaque, et la vue dégagée conférait à la forteresse sa position dominante permettant aisément de voir quiconque approcher. Le goulet vulnérable, que l'eau ne protégeait pas, était occupé par le château qui verrouillait le cercle des murailles. C'était non seulement une place forte mais encore une belle ville. Pourtant le roi Etienne l'avait prise d'assaut quatre ans auparavant et conservée grâce à ses shérifs.

Mais toutes ces terres, songea Cadfael, contemplant, mélancolique, la verdure prospère, sont dominées par des centaines de foyers à l'intérieur du mur. Quand n'y a-t-il personne pour jeter un coup d'œil par la fenêtre avec ce beau temps, ou bien au bord de l'eau à pêcher ou à étendre du linge, à moins que des enfants ne jouent ou se baignent ? Bon, les témoins sont évidemment un peu moins fréquents le matin très tôt, mais il y a toujours du monde. Or personne n'a mentionné de lutte ni de fuite, on n'a signalé personne qui emportait un objet lourd, évoquant une forme humaine. Non, inutile de chercher de ce côté-là. Nos champs s'offrent aux regards de tous. Le seul coin où on peut se cacher, c'est ici, près du pont ou en dessous, là où il y a des arbres et des buissons.

Il traversa en direction de l'arche ; ce qui restait de rosée assombrit ses sandales et le bas de son habit, mais il n'y en avait plus guère maintenant sauf dans l'ombre profonde. Sous l'arc de pierre, l'eau avait baissé d'un pied ou deux, laissant une frange pâlie d'herbe et de plantes aquatiques. On pouvait y marcher sans se mouiller les pieds. Même en hiver ou lors du dégel du printemps, l'eau n'arrivait jamais à moins de six pieds de la voûte. La végétation était luxuriante et touffue, nourrie de riche terre humide.

On l'avait précédé à cet endroit, les herbes avaient été séparées et foulées probablement par plusieurs personnes. Cela n'avait rien d'inhabi-tuel, quand ils jouent, les enfants vont partout, et aussi quand ils se livrent à quelques mauvais coups. Plus étrange était le sillon profond creusé dans le sol humide et laissé à découvert depuis peu, quand le niveau de l'eau avait commencé à baisser. On avait tiré un bateau au rivage, et tout récemment qui plus est. Au bout du pont, du côté ville, il y avait en permanence des bateaux amarrés ou à sec pour que leurs propriétaires puissent les utiliser à tout moment. Ici, c'était plus rare.

Cadfael s'accroupit afin d'examiner le terrain de plus près. L'herbe avait absorbé toutes les traces de pas, sauf là où la terre touchait l'eau et où un homme avait manifestement marché, mais la boue avait glissé sous ses pas, rendant inutilisables les empreintes qu'il avait laissées. Un homme ou deux ? Car on voyait nettement les deux bords de la marque creusée par l'embarcation.

S'il n'avait pas été assis sur les talons, Cadfael n'aurait jamais remarqué un petit objet déplacé en ce lieu : sous l'arche il n'y avait pas de lumière pour trahir sa présence. Mais l'objet était là, enfoncé dans la boue. C'était un fil métallique évoquant de la paille couleur d'or rouge, pas plus long que la dernière phalange de son pouce. Il le prit et le plaça dans le creux de sa main : il rappelait une pointe de flèche un peu déformée par le pied qui l'avait écrasée. Il alla le rincer au bord de l'eau et le porta au soleil.

A présent il vit que c'était un morceau de bronze qui avait scellé l'extrémité d'une ceinture de cuir. C'était un travail délicat : on l'avait incisé au marteau et au maillet avant de le mettre en place, et il avait fallu se donner beaucoup de peine pour réussir à l'arracher.

Cadfael revint sur ses pas, remonta le chemin en pente raide menant à la route et repartit sur la Première Enceinte d'un pas vif.

CHAPITRE SEPT

— C'est à elle, affirma Niall, le visage figé, tendu, détournant les yeux du petit objet de bronze, je le reconnais, même si ce n'est pas moi qui l'ai fabriqué. Il vient de la ceinture qu'elle a emportée le matin où frère Eluric est mort. J'ai remplacé la boucle pour l'assortir à ce motif et aux rosettes au-dessus des trous. Je le reconnaîtrais entre mille. Où l'avez-vous trouvé ?

— Sous la première arche du pont ; on y avait tiré un bateau à sec pour le cacher.

— On voulait donc l'emmener ! Et ça, c'était enfoncé dans la boue, si je ne me trompe ? Regardez, quand on a fixé cette pièce, on l'a rivetée dans le cuir, elle ne se serait pas détachée facilement, même après des années et même si l'usage avait amolli et aminci le cuir peut-être un peu fatigué d'avoir été souvent manipulé. Il a fallu se donner du mal pour la détacher.

— Et bousculer un peu sa propriétaire, renchérit Cadfael à regret. Je ne pouvais pas en être sûr, j'ai à peine vu cette ceinture quand elle l'a prise entre ses mains ce jour-là. Mais vous, vous ne pouviez pas vous tromper. Eh bien, maintenant je sais quelque chose. On a au moins avancé d'un pas. Et puis un bateau... ce serait le moyen le plus simple de la transporter. Pas de voisin à proximité pour poser des questions sur une cargaison aussi volumineuse, personne sur le rivage pour s'interroger sur un chaland qui passe, ça n'est pas ce qui manque sur la Severn. La ceinture d'où cette pièce provient a pu servir à lui lier les poignets.

— Comment! On aurait osé!...

Niall essuya ses grandes mains habiles et commença délibérément à ôter et plier son tablier de cuir.

— Bon, et maintenant? Dites-moi en quoi je peux vous être le plus utile et où aller la chercher d'abord. Je vais fermer boutique...

— Non, répliqua Cadfael, vous ne bougez pas. Mais veillez bien sur le rosier, car j'ai l'impression que la vie de l'une est liée à l'existence de l'autre. Et puis comment pourriez-vous être plus efficace que Hugh Beringar? Il a suffisamment d'hommes et, croyez-moi, il veillera à ce qu'ils ne chôment pas. Restez ici, soyez vigilant; je vous informerai de tout ce que je découvrirai. Votre domaine, c'est le bronze, pas les bateaux. Vous m'avez été très utile.

— Et vous, qu'allez-vous faire, à présent? demanda Niall, les sourcils froncés, acceptant fort à contrecœur ce rôle passif.

— Aller trouver Hugh Beringar aussi vite que

146

possible et ensuite je file chez Madog qui connaît tout ce qu'il y a à savoir sur les bateaux, depuis ses propres coracles* jusqu'aux péniches qui transportent les balles de laine. Rien qu'à la marque laissée dans la boue, il est capable de préciser l'embarcation dont il s'agit. Vous, restez ici, essayez de garder votre calme. Avec l'aide de Dieu, on la retrouvera.

Une fois sur le seuil il se retourna, impressionné par le poids du silence derrière lui. L'orfèvre taciturne était parfaitement immobile, fixant l'endroit invisible où Judith Perle devait lutter seule, en butte à l'esprit de lucre et à la violence. Ses bonnes œuvres se retournaient contre elle, sa générosité se transformait en arme qui menaçait sa vie. Le visage impassible de Niall ne manquait pas d'éloquence en ce moment. Et si ces grandes mains adroites, si précises avec les petits moules et creusets, pouvaient se refermer sur la gorge du mystérieux ravisseur de Judith Perle, songea Cadfael en regagnant la ville au pas de gymnastique, la justice royale pourrait sans dommage se passer de bourreau, et le procès ne coûterait pas cher au comté.

L'homme de garde à la porte de la ville dépêcha hâtivement un messager au château pour envoyer quérir Hugh dès que Cadfael, passablement hors d'haleine, l'eut informé qu'il avait

* Bateau très léger en osier et peau de mouton qu'on trouve encore au pays de Galles et en Irlande. (N.d.T.)

besoin du shérif près du bord de l'eau. Il lui fallut toutefois un peu de temps pour le trouver et Cadfael mit à profit ce répit pour partir en quête de Madog du Bateau des Morts. Il savait en gros où le dénicher, à condition qu'il ne soit pas déjà quelque part sur le fleuve, occupé par l'un des aspects curieux de son travail très varié. Il avait une cabane à l'abri du vent sous le pont de l'ouest d'où partait la route du pays de Galles dont il était originaire. Là, il fabriquait des coracles, des bateaux de bois, s'il en avait l'occasion, pêchait en saison, convoyait des passagers à la demande ou des marchandises pour de l'argent, bref tout ce qui concernait le transport par eau. Comme il était midi passé, il se trouvait que Madog prenait un peu de repos ; il dînait seul quand Cadfael arriva au pont. C'était un Gallois plus très jeune, trapu, solide, les cheveux en bataille. Il n'avait pas de famille et s'en moquait car il se suffisait à lui-même depuis son enfance, ce qui ne l'empêchait pas de bien accueillir ses amis. S'il n'avait besoin de personne, il était à la disposition de qui avait besoin de lui. Il suffisait de l'appeler pour qu'il vienne.

Hugh les avait précédés à la porte de la ville. Ils traversèrent le pont ensemble et se dirigèrent vers le bord du fleuve et l'ombre fraîche de l'arche.

— J'ai trouvé ça dans la boue, expliqua Cadfael, probablement arraché au cours d'une bagarre. Cela provient d'une ceinture appartenant à Mme Perle ; Niall lui a fabriqué une nouvelle boucle assortie aux motifs il y a quelques jours à peine. C'était le modèle qu'il avait à copier. Il connaît son affaire, ce qui ne nous laisse aucun doute. Et à cet endroit on avait disposé un bateau prêt à partir.

— Probablement un bateau volé, remarqua judicieusement Madog, observant la trace profonde dans le sol. Pour ce genre de virée, mieux vaut ne pas utiliser le sien. Comme ça, s'il attire l'attention ou si quelqu'un se pose des questions gênantes sur sa cargaison ou sur l'endroit où il se rend, rien ne le rattache à son propriétaire. Et ça s'est passé à la première heure hier ? Ah, je me demande si la barque d'un pêcheur ou d'un batelier de la ville a rompu ses amarres. J'en connais une bonne dizaine qui auraient pu laisser cette marque. Et quand on n'en aura plus eu besoin, il n'y aura eu qu'à la laisser dériver à sa guise.

— En d'autres termes, vers l'aval, émit Hugh cessant de regarder la petite pointe de bronze dans le creux de sa paume.

— Pour ça oui, mais seulement après avoir terminé sa mission. Ce qui signifie nettement en aval par rapport à ici, si c'est de là qu'il est parti avec sa cargaison. C'était beaucoup plus facile, plus sûr aussi, que de remonter le courant. Et encore, tôt le matin, c'est faisable. Il n'y a pas beaucoup de gens dehors, mais au moment où un peut-être deux rameurs auraient contourné les murs de la ville — et ils auraient été forcés d'en passer par là —, il y aurait eu pas mal de spectateurs sur la rive et sur le fleuve. Même s'ils s'étaient éloignés de la cité, il resterait à passer Frankwell, soit encore une heure à jouer des avirons avant d'être hors de portée des curieux. En aval, une fois à l'abri des remparts et hors de vue du château, entre les champs et les bois, plus rien à craindre des citadins.

— Ça se tient, admit Hugh. Je ne prétends pas que vers l'amont ce soit impossible, mais allons d'abord au plus vraisemblable. Dieu sait qu'on a retourné toute la ville, chaque maison, chaque ruelle, tout, et il nous reste du pain sur la planche avant d'en avoir terminé. Mais apparemment personne ne l'a vue ni entendue depuis qu'elle a parlé au garde et qu'il l'a aperçue en train de traverser le pont. Et si elle est revenue, ou si on l'a ramenée en ville, ce n'est pas par cette porte. Le portier jure qu'il n'y a eu aucune charrette ni Dieu sait quoi capable de la dissimuler. D'accord, il y a des guichets par-ci par-là, qui donnent la plupart du temps sur les jardins, mais allez donc les traverser sans que la maisonnée s'aperçoive de quelque chose. Je commence à croire qu'elle n'est pas à Shrewsbury, mais j'ai disposé des hommes à toutes les entrées donnant accès à une rue, et leur ai ordonné d'entrer dans toutes les maisons, service du roi. Si tout le monde est logé à la même enseigne, il est plus difficile de grogner ou de se plaindre.

— Personne n'a protesté? s'étonna Cadfael. Pas une fois?

— Si, certains, mais plutôt discrètement. Non, personne ne s'est opposé ni n'a essayé de dissimuler quoi que ce soit. Et toute l'après-midi jusqu'au crépuscule, j'ai eu le cousin sur le dos qui courait comme un chien de chasse quand il a perdu sa piste. Il a pris deux ou trois de ses tisserands pour nous aider. Le contremaître, un nommé Bertred, beau garçon, fier comme un paon, nous a suivis toute la sainte journée, furetant partout. En ce moment, il accompagne un groupe de mes hommes, ils suivent la Première Enceinte du château. Ils regardent dans les cours et les jardins avant de revenir par la rivière. Tous ses gens se rongent les sangs, désespérant de la retrouver. Ce qui n'a rien d'étonnant, c'est elle qui leur fournit du travail. Il y a au moins une vingtaine de familles à dépendre d'elle. Et pas la plus petite trace ou l'ombre d'un suspect jusqu'à maintenant.

— Comment ça s'est passé avec Godfrey Fuller ? demanda Cadfael, se rappelant les rumeurs sur les soupirants de Judith.

Hugh eut un rire bref. Lui aussi se souvenait.

— Oh ! rien à signaler. Il a eu l'air presque aussi inquiet que son cousin. Il m'a donné toutes ses clés et prié d'agir à ma guise. Pas mal, non ? Je l'ai pris au mot.

— Ses clés pour les ateliers de teinture et les appentis de foulage ?

— Toutes ! En fait, je n'avais besoin d'aucune, ses ouvriers étaient au travail, tout était en pleine vue, d'une innocence parfaite. Il aurait aussi mis des hommes à ma disposition, mais il est trop près de ses sous pour laisser les métiers tourner au ralenti.

— Et William Hynde?

— Le vieux lainier? Il a dormi la nuit dernière avec ses bergers et ses troupeaux, s'il faut en croire son personnel. Il n'est rentré que ce matin. C'est seulement alors qu'il a appris la nouvelle. Alan y est passé hier; la femme n'a pas bronché et l'a laissé regarder partout. J'y suis retourné ce matin et j'ai parlé avec le patron en personne. Il repart dans les collines avant la nuit. Apparemment certains de ses agneaux ont une infection des sabots. Lui et son aide ne sont revenus que pour chercher de la lotion pour les soigner. Et ça semble l'inquiéter bien plus que le sort de Mme Perle, même s'il a prétendu être désolé d'apprendre cela. A présent, je suis certain qu'elle n'est pas là et que nous devons mener l'enquête ailleurs. En aval, c'est d'accord. Si vous revenez avec nous jusqu'à la porte de la ville, vous nous procurerez un bateau, Madog, et on ira par là voir ce qui se présente.

Au milieu du fleuve, utilisant la force du courant, le batelier ne donnait çà et là qu'un petit coup d'aviron pour ne pas dévier; toute la partie est de la ville défilait sous leurs yeux : une pente raide et verdoyante au bas du mur, quelques buissons peu élevés au bord de l'eau, ou les branches tombantes d'un saule, mais surtout de grandes prairies aux herbes montées en graine, et puis les hautes pierres grises du mur. On ne distinguait pratiquement aucun toit par-dessus la crête, à part le faîte de la tour et du clocher de

Sainte-Marie et, dans le lointain, le haut de Saint-Alkmund. Il y avait trois guichets avant d'atteindre le petit canal de Sainte-Marie permettant d'accéder au fleuve depuis la cité et le château en cas de besoin, et, par places, les habitants avaient agrandi leurs jardins jusque vers l'extérieur ou utilisé le terrain, quand il n'était pas trop accidenté, pour leurs réserves de bois et autres matériaux nécessaires à leur métier. Mais ici la pente rendait les cultures difficiles, sauf aux endroits favorisés, et les meilleurs jardins étaient au sud-ouest, à l'intérieur de la grande boucle du fleuve.

Les hommes passèrent le long du mur de l'étroite cascade du canal après laquelle il y avait une autre prairie herbeuse descendant rapidement, avant que le mur de la ville ne se rapprochât de la rivière, flanquant le champ bien dégagé où les jeunes avaient coutume de disposer leurs cibles et de pratiquer le tir à l'arc lors des foires et des jours fériés. A son extrémité se trouvait un dernier guichet, presque sous la première tour du château. Ensuite le sol devenait plus plat, formant une plaine entre l'eau et la grand-route qui apparaissait sous les portes de la forteresse. Ici, comme du côté gallois, la ville s'était étendue en dehors des remparts sur une courte distance, et des petites maisons serrées les unes contre les autres bordaient la route, groupées à l'ombre de la masse imposante des tours de pierre et du rideau de murailles qui enjambait le seul accès à Shrewsbury par la terre ferme.

Les prairies s'élargissaient vers l'horizon, et devenaient un tapis moutonnant de champs et de bois plein de sérénité. Tout ce qui pouvait rappeler un ensemble urbain était là, près de l'eau, les appentis, les bacs à fouler de Godfrey Fuller, et le terrain où il élargissait le drap. Un peu plus loin se dressaient les grands entrepôts de William Hynde, où ses plus belles toisons étaient emballées, n'attendant que le négociant dont la péniche les emporterait au loin, et la petite jetée où elle se rangerait pour les mettre en cale.

Des hommes s'affairaient partout autour de l'atelier de foulage et deux longueurs d'un tissu rougeâtre et lumineux séchaient sur leurs cadres. C'était la période des rouges, des bruns et des jaunes. Cadfael se retourna vers le mur du château et l'ultime guichet donnant sur la cité. Il se rappelait que Fuller habitait tout près du mur d'enceinte. Maintenant, si ce voisinage prêtait à soupçon, il en allait de même pour William Hynde, qui habitait un peu plus loin, à proximité de la croix haute. Bien commode pour tous les deux, cette porte. Fuller avait un gardien de nuit qui logeait dans l'atelier.

— Il y a peu de chance de retenir une dame prisonnière ici, soupira Hugh, résigné. Le jour ce serait impossible avec tous ces gens qui courent dans tous les sens, et la nuit l'homme qui couche ici est payé pour surveiller les biens de William Hynde. Par-dessus le marché, il a un bouledogue. Si ma mémoire est bonne, il n'y a que des bois et des prairies plus loin. Enfin, ça ne nous empêche pas de continuer.

154

Les berges verdoyantes défilaient de part et d'autre, empiétant sur des arbres qui surplombaient les deux rives, mais il n'y avait pas de bois touffus, de bâtiment, pas même une cabane avant au moins un demi-mile. Ils allaient abandonner et rebrousser chemin, Cadfael se préparait à remonter ses manches pour aider Madog à repartir vers l'amont quand ce dernier s'arrêta et désigna quelque chose du doigt :

— Tiens, j'avais raison ! Inutile d'aller plus loin. La chasse est finie. Voyez plutôt.

Tout près, sous la rive gauche, un courant tournant avait causé un phénomène d'érosion et dénudé les branches d'une petite aubépine (ce qui lui donnait une position penchée au-dessus du fleuve) dont les branches avaient attrapé un poisson pas banal. Le bateau était arrêté de guingois, son étrave coincée entre deux buissons d'épineux, ses avirons rentrés, et il se balançait doucement dans les hauts-fonds.

— Je le connais, celui-là, grommela Madog, qui se rapprocha et tendit la main vers le banc de nage. Il appartient à Arnaud, le poissonnier, sous la Wyle. Il l'amarre là-bas, au bas de la ville, contre le pont. Il suffisait à votre homme de ramer un instant et de le cacher. Arnaud doit être furieux à Shrewsbury et distribuer des claques à tous les gosses qu'il soupçonne. Je vais être gentil avec lui et lui ramener sa barque, avant qu'il passe la mesure. On la lui avait déjà empruntée une fois, mais là au moins on la lui avait ramenée. Eh bien, voilà, monsieur, c'est fini. Vous êtes satisfait ?

— Ah pas du tout, se plaignit Hugh, mais je vois ce que vous voulez dire. On avait opté pour l'aval. Donc quelque part en aval à partir du pont et en amont à partir d'ici, à mon avis, on a débarqué Mme Perle et on l'a mise en lieu sûr. Un peu trop sûr à mon goût ! Car jusqu'à présent, je me perds en conjectures.

S'aidant d'une corde d'amarrage qui traînait, dont le chanvre effiloché suggérait qu'elle s'était détachée toute seule, ils prirent la barque volée en remorque et se préparèrent à la difficile remontée. Cadfael s'empara d'un aviron, s'installa fermement sur le siège et s'efforça d'aller au même rythme que Madog, en dépit de son manque d'expérience. Mais quand ils arrivèrent à hauteur de l'atelier de foulage, on les héla de la rive et deux officiers de Hugh, fatigués et couverts de poussière, descendirent jusqu'au niveau de l'eau, accompagnés de trois ou quatre citadins volontaires, qui se tenaient respectueusement à quelque distance. Parmi eux Cadfael remarqua ce même Bertred, le tisserand qui, d'après Hugh, avait haute opinion de lui-même, arpentant la berge gazonnée avec la confiance d'un homme passablement content de soi. A le voir, il n'éprouvait aucune gêne d'être rentré bredouille avec les gens d'armes. Cadfael l'avait déjà remarqué travaillant avec Miles Coliar, mais il ne le connaissait que de vue. Il était tout ce qu'il y a de présentable, l'œil vif, le teint frais, bien et solidement bâti, avec ce genre de visage ouvert qui peut exprimer la sincérité... ou s'avérer très utile pour cacher un secret derrière un masque avenant.

Il y avait un rien de sagacité déplacée, sous ce regard candide et ce sourire trop facile. Or, s'ils n'avaient pas retrouvé Judith Perle au bout de deux jours ou presque, il n'y avait pas de quoi sourire.

— On a quasiment retourné chaque motte de terre sur les deux rives du fleuve depuis la ville, monsieur, déclara l'aîné des sergents en posant la main sur le plat-bord pour immobiliser le bateau. Rien, et personne ne semble savoir quoi que ce soit.

— J'en suis au même point, répondit Hugh, sauf que voici l'embarcation dans laquelle on l'a emmenée. Inutile d'aller fouiller plus avant, à moins qu'on ait constamment changé cette malheureuse de place, et je n'y crois pas.

— On a visité chaque maison, chaque jardin. On vous a vu descendre la rivière, monsieur, alors on est venus jeter un coup d'œil par ici, mais comme vous le constatez, tout est en ordre ; maître Fuller nous a laissés fouiller partout.

Hugh lança autour de lui un long regard où l'espoir tenait peu de place.

— Non, impossible de se déplacer discrètement par ici, en tout cas pas en plein jour, et elle a disparu très tôt le matin. Quelqu'un a-t-il été voir dans l'entrepôt de maître Hynde ?

— Oui, monsieur, hier soir. Son épouse nous a gracieusement remis les clés. J'y étais moi-même avec le seigneur Herbard. Il n'y avait que des toisons en balle, la soupente en était pleine du sol au plafond. La récolte semble avoir été bonne cette année.

— Meilleure pour eux que pour moi, soupira Hugh. J'ai au plus trois cents moutons, une misère pour lui. Bon, vous n'avez pas arrêté de la journée, autant aller vous reposer et rentrer chez vous.

Il posa prestement le pied sur le banc de nage et sauta à terre, ce qui donna au bateau un léger balancement.

— On ne gagnera rien à rester ici. Quant à moi, je vais rentrer au château. Quelqu'un aura peut-être eu de la chance. Je prendrai la porte de l'est, Madog, mais on peut vous prêter deux rameurs, si vous voulez, et vous aider à remonter le fleuve avec les deux barques. Certains de ceux qui ont participé à la battue avec nous pourraient repartir vers le pont.

Il regarda le groupe qui se tenait un peu à l'écart sans rien perdre de la discussion.

— Ça vaut mieux que de marcher, vous autres, parce que la marche vous en avez eu votre compte. Alors ? Qui se décide ?

Deux hommes s'avancèrent sans hésiter, détachèrent la corde de remorque et s'installèrent. Ils précédèrent légèrement Madog et ramèrent à une allure régulière, en gens qui s'y connaissent. Peut-être, songea Cadfael, remarquant que Bertred s'était bien gardé de se proposer, est-ce à peine plus long pour lui de regagner la porte du château que de rentrer depuis le pont après avoir remis le bateau en place. Voilà pourquoi il n'avait pas vu l'intérêt de se porter volontaire. Peut-être aussi que l'aviron n'était pas son fort. Mais cela n'expliquait pas ce sourire affable et cet air de satisfaction quand il échappa discrètement aux regards en se glissant derrière ses compagnons. Et ça n'expliquait pas non plus la dernière vision que Cadfael eut de lui en se retournant depuis le milieu du courant : l'homme s'était laissé distancer par Hugh et ses hommes, qui se dirigeaient d'un pas vif vers la cité. Il s'était arrêté un moment pour les observer qui abordaient la pente, puis il avait tourné le dos et, tranquille mais décidé, s'était engagé dans la direction opposée, vers le bois le plus proche, comme si des affaires de haute importance l'y appelaient.

Bertred ne rentra souper que quand le crépuscule commençait à tomber. Toute la maisonnée était comme folle, les habitudes étaient rompues et chacun errait telle une âme en peine sans plus respecter les horaires de travail, de repas ni les événements divers qui servent à rythmer les jours quand tout se déroule normalement. Miles allait de l'atelier à la rue une dizaine de fois par heure, il arrêtait tous les soldats qui passaient pour leur demander s'il y avait du nouveau, et la réponse était toujours négative. En deux jours il était devenu si nerveux, irritable que même sa mère, pour une fois réduite à un silence relatif, avait tendance à s'écarter de son chemin. Dans l'atelier de filage, les ouvrières perdaient le plus clair de leur temps en murmures et en questions ; dès qu'il avait le dos tourné elles allaient rejoindre les tisserands.

— Qui aurait cru que sa cousine comptait autant pour lui ? s'émerveillait Branwen, impressionnée par son air tendu, inquiet. Bien sûr, un homme s'intéresse à sa famille, mais... on pourrait penser que c'est sa fiancée qu'il a perdue et non sa cousine, tant il prend ça à cœur.

— Il se préoccuperait beaucoup moins de son Isabelle, lança une cynique parmi les tisserandes. Elle lui apporte une dot honorable et il a l'air plutôt satisfait de cette union, mais si elle casse l'hameçon, il restera suffisamment de poissons dans la mer. C'est de Mme Judith qu'il dépend, et son avenir aussi, en tout cas, c'est mon opinion. Il a toutes les raisons de s'inquiéter.

Certes il en donnait tous les signes : il se rongeait les ongles, fronçait les sourcils tant l'anxiété l'accablait. Cela dura toute la journée pour céder la place, le soir, quand on dut abandonner les recherches, à l'abattement et à une résignation muette, dans l'attente du lendemain qui permettrait de reprendre la battue. Mais lorsque le soleil se coucha, le deuxième jour, il semblait qu'on avait fouillé la ville de fond en comble, sans oublier les faubourgs, auxquels on avait au moins jeté un coup d'œil. Alors, où aller après cela ?

— Elle ne peut pas être loin, répétait énergiquement Agathe. On finira bien par la retrouver.

— Loin ou pas, gémit Miles, désolé, elle est

160

trop bien cachée. Elle est aux mains d'un criminel, c'est évident. Et si elle était forcée de céder et de l'épouser ? Qu'est-ce qu'on deviendrait, toi et moi, si elle laissait entrer un maître ici ?

— C'est impossible, elle ne veut pas entendre parler de mariage. Non, ça je n'y crois pas. Si on la traite aussi cruellement, je pense plutôt que quand elle sera libre — et ça viendra ! — elle fera ce qu'elle envisage depuis si longtemps : elle entrera au couvent. Plus que deux jours avant l'échéance du loyer ! s'exclama Agathe. Que va-t-il se passer si elle n'est pas rentrée d'ici là ?

— Alors le contrat sera rompu et il sera temps de voir si on le reconduira, mais elle seule a le pouvoir d'en décider. Tant qu'on ne l'aura pas retrouvée, on aura les mains liées, point final. Demain, j'y retournerai moi-même, se promit Miles, exaspéré par l'échec du shérif du comté et de toute la maréchaussée.

— Mais où ? Y a-t-il un seul endroit qui aurait été laissé de côté ?

Bonne question, il fallait l'admettre. C'est cette maison où régnaient l'attente et la frustration que Bertred regagna au crépuscule. Rien dans son allure ne trahissait ses impressions sur l'échec des autorités, mais il avait l'air si douceureux et l'œil si brillant que Miles fut cassant avec lui, ce qui ne lui ressemblait guère, et il le suivit d'un long regard peu amène quand Bertred se dirigea sagement vers la cuisine. Par les belles soirées d'été, il était plus agréable d'être dehors que dans cette petite pièce sombre et enfumée, avec en plus la chaleur du foyer, même quand on l'avait tisonné ou couvert de terre jusqu'au matin, et puis les autres étaient déjà partis vaquer à leurs occupations. Seule Alison, la mère de Bertred, qui cuisinait pour la famille et les ouvriers, attendait son vagabond de fils sans dissimuler son impatience avec une marmite qui continuait à chauffer sur le feu.

— Ne te presse pas, surtout! s'écria-t-elle, se tournant vers lui, son ustensile à la main, comme il entrait d'un pas vif et s'asseyait à sa place, à la longue table à tréteaux. Au passage, il effleura sa joue ronde et rouge d'un baiser distrait. C'était une femme plutôt bien en chair et l'on distinguait encore les restes d'une beauté qu'elle avait transmise à son fils.

« Tu n'as pas honte de me forcer ainsi à t'attendre? s'exclama-t-elle, posant devant lui, non sans brusquerie, un bol de bois. Je suis sûre que tu t'es couvert de gloire aujourd'hui, raconte-moi par exemple que tu as ramené notre maîtresse à la maison et que tu vas te reposer sur tes lauriers. Certains des hommes sont rentrés il y a plus de deux heures. Où as-tu traîné tout ce temps-là?

Dans la pénombre de la cuisine, son petit sourire satisfait était à peine visible, mais le ton de sa voix trahissait la même joie soigneusement contenue. Il la prit par le bras et l'attira sur le banc, près de lui.

— Ne t'inquiète pas, ce sont mes affaires! Il y avait quelque chose que je devais attendre et ça

162

en valait la peine, murmura-t-il en se penchant sur elle, et sa voix baissa encore d'un ton. Mère… ça ne te plairait pas d'être plus qu'une servante dans cette maison? Une dame, une douairière honorée! Attends un peu, et grâce à moi ce sera la fortune pour tous les deux. Qu'as-tu à répondre à cela?

Il ne l'impressionnait pas, mais elle l'aimait trop pour se moquer de lui.

— Toi et ta folie des grandeurs! Et tu comptes y arriver comment?

— Je ne peux rien te dire pour le moment, pas avant que ce soit terminé. Il n'y a pas un seul des rabatteurs à s'être démenés aujourd'hui qui en sache autant que moi. A présent je me tais et je n'ai parlé qu'à toi seule. Ah, mère, il faudra que je sorte quand la nuit sera bien noire. Ne te mets pas en peine, je prends un risque calculé, contente-toi d'attendre, tu ne le regretteras pas. Mais, ce soir, pas un mot. A personne.

Elle s'écarta de lui, dubitative, pour mieux examiner le visage souriant, un peu moqueur de son fils.

— Qu'est-ce que tu manigances? Moi aussi, je suis capable de tenir ma langue, quand c'est nécessaire. Mais ne va pas te fourrer dans le pétrin. Si tu as découvert quelque chose, pourquoi l'avoir gardé pour toi?

— Et laisser les autres tirer les marrons du feu? Non, je te le répète, mère, je sais où je mets les pieds. Tu verras par toi-même demain, mais d'ici là, pas un mot. Jure-le!

— Tu es bien comme ton père, soupira-t-elle, et elle se détendit en souriant. Il avait toujours des grands projets. Enfin, ça ne me tuera pas de passer une nuit blanche à me demander ce que tu complotes. Je ne me suis jamais mise en travers de ton chemin. Soit, je me tairai. Promis. Seulement, sois très prudent, ajouta-t-elle, mal à l'aise, pressentant fugitivement un malheur possible, tu ne seras peut-être pas seul à mettre ton nez là où il ne faut pas.

Il rit et l'entoura impulsivement de ses bras, puis il s'enfonça en sifflant dans l'ombre de la cour.

Son lit était dans l'atelier de tissage, avec les métiers, et là il n'y avait pas de compagnon qu'il risquait d'éveiller en se levant et en enfilant ses vêtements une bonne heure après minuit. Il n'eut aucune difficulté non plus à s'éclipser en empruntant le passage étroit menant à la rue. Dans la maison, il n'y avait guère de chances qu'on le remarquât. Il avait fort bien choisi son moment. Il ne fallait pas qu'il fût trop tôt, sinon il y aurait encore du monde dans la rue, ni trop tard, ou la lune serait levée ; or l'obscurité convenait mieux à ses projets. Les ruelles étaient en effet très sombres entre les maisons et les boutiques en surplomb, cependant qu'il franchissait le dédale qui séparait le bout de la rue Maerdol et le château. La porte est de la ville formait une partie intégrante des défenses de la forteresse ; comme telle elle serait close et gardée pendant la nuit. Depuis quelques années, Shrewsbury s'était

164

trouvée à l'abri de toute menace venant de l'orient, à l'exception d'un bref coup de main de Gallois de l'ouest* qui avait troublé la paix du comté, mais Hugh Beringar préférait ne pas relâcher sa vigilance. Toutefois le guichet le plus à l'est pouvait être utilisé à tout moment. C'est seulement en cas de danger possible que tous les guichets étaient bouclés et qu'il y avait des sentinelles aux remparts. Cavaliers, chariots, charrettes de maraîchers devaient attendre l'ouverture des portes à l'aube, mais un homme seul était libre de passer n'importe quand.

Bertred connaissait le chemin de nuit comme de jour, et il savait marcher sans faire plus de bruit qu'un chat. Après le guichet, il y avait une pente herbeuse et des buissons dominant le fleuve. Il tira la porte de bois derrière lui. En contrebas, le flux de la rivière ressemblait à une tresse de rubans qui se poursuivaient en jetant des lueurs passagères dont le frémissement se devinait à peine dans l'obscurité. Le ciel légèrement voilé cachait les étoiles ; il était à peine moins sombre que les blocs de maçonnerie, la terre et les arbres dont la silhouette se dessinait sur la noirceur plus profonde de la nuit. Quand la lune se lèverait, plus d'une heure après, les cieux s'éclairciraient probablement. Il avait un peu de temps devant lui pour réfléchir sur la marche à suivre à présent. Il n'y avait pas beaucoup de vent mais il serait judicieux d'en tenir compte, car il

* Voir *la Rançon du mort*, du même auteur, dans la même collection, n° 2152.

serait malsain d'approcher dans le mauvais sens le dogue du gardien de la foulerie. Bertred se mouilla un doigt et le leva en l'air : la petite brise régulière venait du sud-ouest, de l'amont. Il lui faudrait contourner la masse du château pratiquement jusqu'au bord des jardins le long de la grand-route et avancer sous le vent, depuis l'arrière de l'entrepôt de laine.

Il avait bien observé les lieux au cours de l'après-midi, tout comme le shérif, ses sergents et les citadins qui les aidaient dans leurs recherches. Mais ils n'avaient pas comme lui eu l'occasion de s'y rendre deux ou trois fois pour prendre des toisons pour Mme Perle, ils ne s'étaient pas non plus trouvés la veille de sa disparition dans la cuisine pour entendre Branwen déclarer que sa maîtresse comptait se rendre à l'abbaye tôt le matin afin d'établir un nouveau contrat où elle donnerait sa maison sans condition. Ils n'avaient pas vu, contrairement à Bertred, Gunnar, le domestique de Hynde, finir sa bière et rempocher ses dés peu après, alors qu'il semblait compter finir la soirée sur place. Voilà donc une personne de plus, Bertred mis à part, à être informée de ce projet, et s'il s'était esquivé comme un voleur, c'était histoire d'en informer un tiers. Le vieux, le jeune ? Aucune importance. Le plus drôle était que lui, Bertred, avait mis si longtemps à comprendre. La solution s'était présentée quand il aperçut la vieille demi-porte de la maison où l'on tenait naguère les comptes, dans l'après-dînée, fermée à double tour de l'extérieur

166

et certainement cadenassée de l'intérieur. Là, il avait eu l'illumination. S'il avait attendu patiemment, dissimulé par les arbres, jusqu'au crépuscule, guettant celui qui se montrerait au guichet du mur de la ville et où il se rendrait avec son panier d'osier, c'était à titre d'ultime vérification, pour s'assurer de ce qu'il savait déjà.

Pesant contre son flanc, dans la grande poche cousue à l'intérieur de sa veste, se trouvaient un long ciseau à froid et un marteau, mais il fallait éviter autant que possible de se montrer bruyant. Il lui suffirait de déloger la barre extérieure de son support sur la demi-porte, mais il supposait que le volet avait été cloué à son cadre. L'année précédente, des voleurs s'étaient emparés d'une balle de toisons en passant par cette ouverture et, comme la pièce pour la comptabilité était déjà tombée en désuétude, le vieux William Hynde avait donné ordre qu'on barricadât la fenêtre pour éviter que la mésaventure se renouvelle. Cela aussi le shérif l'ignorait.

Bertred descendit doucement le long de la prairie sur l'arrière de l'entrepôt, le vent léger lui frôlait le visage. A présent, les choses se dessinaient nettement dans la pénombre. La silhouette trapue du bâtiment se dressait entre les ateliers de Godfrey Fuller et lui. Le fleuve se reflétait à quelque distance à sa gauche et à deux fois sa hauteur le carré de la demi-porte condamnée se dressait devant lui, à peine visible, même pour ses yeux de chat.

L'escalade ne présentait pas de difficulté, il

avait vérifié. La bâtisse était ancienne et comme le mur du fond s'adossait à la pente, la base de la cloison de planches verticales avait souffert de l'humidité, voire pourri au fil des ans. Le vieux Hynde, pour qui un sou était un sou, l'avait renforcée avec des pièces de bois fixées horizontalement au-dessus du rebord massif de la fenêtre qui offraient des prises aux pieds, assez hautes pour lui permettre de s'agripper à la poutre mal équarrie sous la demi-porte, qui était juste assez large pour qu'il s'y tienne sans risque tout en écoutant aux volets.

Il commença précautionneusement à monter, empoignant fermement la barre qui condamnait le panneau, pressant une cuisse contre la pièce de bois. Avant de retenir son souffle, méfiant, il aspira à fond, car il venait de se rendre compte de quelque chose de bizarre et d'inattendu. Les volets joignaient bien mais pas parfaitement. Au centre, sur une longueur de main environ, là où les deux battants se touchaient il y avait un rai de lumière, trop mince pour qu'on pût voir à l'intérieur, tel un trait doré de pinceau. Après tout, ça n'était peut-être pas si curieux. Qui sait si on n'avait pas eu la décence de laisser à la prisonnière une lampe ou une bougie dans sa geôle. C'était sûrement payant de lui donner satisfaction, dans la mesure du possible, sur des points de détail, tout en s'efforçant de briser sa résistance. Il n'aurait recours à la force que si tout le reste échouait, mais deux jours sans résultat, cela prenait furieusement des allures d'échec.

Le ciseau que Bertred avait dans sa veste lui rentrait douloureusement dans les côtes. Il plongea la main dans sa poche d'un geste mesuré, sortit ses outils qu'il disposa à portée de main de façon à pouvoir se rapprocher un peu de ce ruban lumineux, puis il appuya son oreille à la fente.

Il sursauta soudain si violemment qu'il faillit dégringoler de son perchoir. En effet une voix s'élevait du dedans, ferme et claire, toute proche :

— Non je ne changerai pas d'avis. Vous auriez dû le savoir. Maintenant, vous m'avez sur les bras. Puisque vous m'avez amenée ici, débrouillez-vous pour m'en sortir.

La réponse venait de plus loin, peut-être de l'autre côté de la salle ; elle marquait une capitulation sans espoir. Les mots étaient difficiles à distinguer mais l'intonation indiquait la veulerie, le désespoir, une supplication abjecte. C'était un homme qui parlait mais Bertred était incapable de le reconnaître. Etait-il jeune, vieux, maître, serviteur ? Mystère.

Quant à son plan, il était à l'eau. Au mieux, il devrait attendre, et si ça durait trop, la lune se lèverait, augmentant les risques. En tout cas, il ne s'était pas trompé. Judith se trouvait bien là, mais le moment était mal choisi : son geôlier était avec elle.

CHAPITRE HUIT

— Vous m'avez amenée ici, alors débrouillez-vous pour m'en sortir.

Dans la pièce nue, étroite, la lueur de la petite lampe dans sa soucoupe leur permettait à peine de se voir. Il s'était violemment écarté d'elle et lui tournait le dos, la tête appuyée à l'avant-bras qu'il pressait contre le mur tandis qu'il meurtrissait vainement son poing libre en frappant la paroi à coups redoublés. Sa voix sortait étouffée, sa rage impuissante s'était changée en un faible gémissement.

— Mais comment? Hein, comment? Il n'y a plus d'issue maintenant.

Elle lui suggéra simplement de déverrouiller la porte et de la laisser partir. Rien n'était plus facile.

— Pour vous! s'exclama-t-il, se retournant pour lui lancer le regard le plus venimeux dont il était capable, ce qui lui donna surtout l'occasion de s'apitoyer sur son propre sort.

Il n'était pas méchant, seulement frivole et pas très malin. Il la fatiguait sans l'effrayer.

— C'est parfait pour vous, reprit-il, mais c'en serait fini de moi, je serais perdu... jeté sur la paille des cachots. Une fois dehors, vous vous vengeriez en me dénonçant.

— Il fallait y penser avant de m'enlever avec la complicité de votre domestique. Vous m'avez conduite dans ce trou à rats, enfermée à double tour derrière vos balles de laine, dans un endroit sans confort ni intimité, soumise à la grossièreté de ce balourd et à l'insolence de vos assiduités. Qu'attendez-vous en retour? De la reconnaissance ou même de la pitié? Qu'est-ce qui me retiendrait de porter plainte? Je vous conseille de réfléchir vite et bien. En définitive, vous avez le choix entre me relâcher ou me tuer. Plus vous tarderez, plus vous aurez de mal à vous en sortir. Quant à moi, poursuivit-elle, amère, ma situation est déjà assez difficile. Qu'est devenue ma réputation d'honorabilité? Quelle sera ma position quand je retrouverai ma maison et ma famille?

Vivian se précipita vers elle, se jetant à genoux près du banc grossier sur lequel elle s'était reposée tant bien que mal et où à présent elle était assise, pâle, très droite, les mains crispées sur ses genoux, ses jupes rassemblées autour d'elle comme si elle voulait éviter tout contact avec lui et aussi avec la poussière et la tristesse de sa prison. Il n'y avait rien d'autre dans la pièce que le pupitre où jadis le clerc travaillait à ses comptes et une aiguière de pierre au bec ébréché plus une épaisse couche de poussière et de débris divers dans un coin. La chandelle était posée sur le bout du banc, près d'elle, éclairant directement les cheveux en bataille et le visage misérable de Vivian. Implorant, il lui prit les mains, mais elle les retira si brusquement qu'il retomba sur les talons, déglutissant avec peine.

— Je n'ai jamais voulu vous créer autant d'ennuis, je vous le jure ! Je pensais que vous aviez de l'amitié pour moi et que si nous étions un peu seuls ensemble, nous arriverions à nous mettre d'accord... Oh mon Dieu, comme je voudrais ne m'être jamais lancé dans toute cette histoire ! Mais c'est vrai, j'ai cru que vous pourriez m'aimer...

— Eh bien, vous vous êtes trompé !

Elle le lui avait répété maintes fois au cours des deux derniers jours, toujours avec la même inaltérable froideur. Il aurait dû comprendre tout de suite qu'il n'avait aucune chance, mais il ne s'était même pas abusé lui-même en prétendant l'aimer : ce qu'il recherchait avant tout, c'était la sécurité et le confort qu'elle pouvait lui apporter, le règlement de ses dettes et la perspective d'une vie facile. Peut-être en sus le plaisir d'adresser un pied de nez à son ladre de père, ladre aux yeux de son fils au moins, car il avait fini par se lasser de tirer sans cesse son héritier de ses difficultés financières. Certes le jeune homme envisageait cette union avec satisfaction, mais ça n'était pas la raison pour laquelle il avait choisi ce matin et pas un autre pour sa tentative. Pourquoi laisser une fortune amputée de moitié vous glisser entre les doigts alors qu'avec un peu d'audace on peut empocher la totalité?

Elle voulut savoir comment on avait expliqué sa disparition. Elle supposait que les commentaires allaient bon train.

— A-t-on commencé à me chercher? Me croit-on morte?

Quelque chose comme du défi et de la méchanceté passa sur le visage de Vivian.

— Si on vous cherche? Toute la ville est aux cent coups! Tout le monde participe aux fouilles, le shérif et ses hommes, votre cousin et la moitié de vos ouvriers. Ils ont visité chaque maison, retourné chaque grange. Ils étaient ici hier dans la soirée. Il y avait Alan Herbard et trois gens d'armes. On leur a ouvert les portes, montré nos toisons en balles et ils sont partis contents. Pourquoi n'avez-vous pas appelé à l'aide si vous teniez à être secourue?

— Ils étaient là?

Judith se raidit, glacée par tant de fiel. Mais c'était fini, il avait craché son venin, il manquait trop de caractère pour être mauvais longtemps.

— Je ne les ai pas entendus, soupira-t-elle amère, résignée.

— Non, murmura-t-il, à bout de résistance. Ils se sont contentés de peu. Cette pièce a été complètement oubliée et les balles étouffent les sons. Ils n'ont posé aucune question. Ils sont revenus cette après-midi, mais pas pour demander les clés. Ils avaient trouvé le bateau… Non, vous ne pouviez pas les entendre. Si oui, auriez-vous crié ?

La question étant de pure forme, il n'attendait pas de réponse, mais le silence lui donna à réfléchir. Aurait-elle souhaité qu'on surprît ses appels au secours, qu'on la sortît de cette prison minable de but en blanc, toute sale, compromise, pitoyable ? N'aurait-il pas été préférable de se taire et de se tirer elle-même de cette situation délicate ? A la vérité, si au début elle avait un peu perdu la tête, si elle avait éprouvé de l'inquiétude, de l'indignation, elle n'avait jamais eu peur de Vivian, elle comprenait qu'elle n'aurait jamais à lui céder. A présent, elle apprécierait autant que lui une solution qui arrangerait toutes les parties et lui permettrait de conserver intactes sa dignité et son intégrité. Il devrait la relâcher tôt ou tard : elle était plus forte que lui.

Il se risqua à saisir un pli de sa robe. Le visage qu'il levait vers elle et qu'elle distinguait clairement, tout près, éclairé par la flamme jaune du lumignon, était étrangement jeune et vulnérable, comme un petit garçon essayant de se disculper d'une grosse bêtise et qui ne se résigne pas à être puni. Son front, qu'il avait appuyé au mur, était tout sale ; du dos de la main il essuya ses larmes qui, mêlées à sa mauvaise sueur, dessinaient une longue trace noire sur sa joue. Dans ses beaux cheveux blonds emmêlés, des fils d'araignée s'étaient pris. Ses grands yeux bruns, dilatés par la tension nerveuse, reflétaient les lueurs dorées de la lampe, et il la fixait désespéré, aux abois.

175

— Judith, Judith, soyez juste avec moi ! J'aurais pu vous traiter beaucoup plus mal… J'aurais pu vous prendre de force.

Elle secoua la tête, méprisante.

— Oh non, vous en êtes incapable. Vous êtes beaucoup trop timoré, trop prudent… ou trop bien élevé, les deux peut-être. Et de toute manière, ça ne vous aurait pas avancé à grand-chose, émit-elle sans détour.

Elle se détourna pour ne plus voir son visage puéril et désolé, car il lui rappelait cruellement frère Eluric qui avait souffert mille morts dans un silence désespéré.

— Maintenant que nous en sommes là vous et moi, nous savons très bien tous les deux qu'il faudra que cela finisse. Vous n'avez pas le choix, laissez-moi partir.

— Mais vous voulez ma peau ! protesta-t-il, et il cacha son visage dans ses mains.

— Je ne vous veux pas de mal, répliqua-t-elle d'un ton las. Mais c'est vous qui avez provoqué cette situation, pas moi.

— Je le sais, je l'avoue. Oh mon Dieu, comme je le regrette ! Aidez-moi, Judith, aidez-moi !

Et voilà, il reconnaissait son échec d'une voix morne, et renversait les rôles. A présent c'est sur elle qu'il comptait pour les sortir du pétrin où il les avait fourrés. Il mit sa tête sur les genoux de Judith, glacé, tremblant comme une feuille. Elle était si lasse, perdue qu'elle posa une main résignée sur ses cheveux pour l'apaiser, mais soudain, entendant quelque chose dans leur dos,

derrière les volets, ils sursautèrent et s'immobili-
sèrent tous deux, inquiets. Rien de bruyant pourtant, comme si un objet relativement léger avait
glissé jusque dans l'herbe avec un petit bruit
sourd. Frissonnant, Vivian sauta sur ses pieds.

— Dieu du ciel, qu'est-ce que c'est?

Ils dressèrent l'oreille et le silence devint aussi
tendu et bref que ce qu'ils venaient d'entendre.
Puis plus loin, en direction du fleuve, s'éleva
l'aboiement sauvage du dogue enchaîné qui, un
moment après, se changea en un son plus profond, décidé : libéré de son attache, il partait en
chasse.

Bertred avait eu une confiance excessive en ces
vieilles planches mal entretenues, abandonnées
depuis trop longtemps aux intempéries. Le rebord sur lequel il était installé avait été fixé avec
de longs clous qui avaient rouillé à l'endroit le
plus exposé à la pluie, et autour le bois avait
pourri. Quand, victime d'une crampe douloureuse, il déplaça son poids pour se détendre un
peu, et qu'il tenta de mieux entendre ce qui se
disait à l'intérieur, le bois se fendit et se détacha,
la poutre oscilla devant lui, frottant sur les
planches de la cloison, et il se retrouva par terre,
les quatre fers en l'air. Ce fut une chute plutôt
bénigne qui resta assez discrète, pas suffisamment quand même pour qu'on ne l'entendît pas
de l'atelier de foulage.

Il se remit debout dès qu'il toucha le sol. Un
instant, il s'appuya contre le mur pour reprendre

son souffle et attendre que ses jambes cessent de trembler. L'instant d'après lui parvinrent les aboiements du chien.

Son instinct lui dicta de gravir la colline et de courir vers les maisons le long de la grand-route. Terrorisé, il partit dans cette direction et s'arrêta presque aussitôt, comprenant que le chien le devancerait sans peine et le rattraperait bien avant qu'il trouve un abri. Le fleuve était plus proche. Il était donc nettement préférable d'essayer de l'atteindre et de le traverser à la nage pour gagner l'étroite partie boisée de l'autre côté de la Gaye. Dans l'eau il serait beaucoup moins désavantagé par rapport au mâtin, et il y avait des chances pour que son maître le rappelle au lieu de le laisser continuer la poursuite.

Il tourna les talons et se mit à courir comme un lapin, dévalant la colline couverte de touffes d'herbe, piquant droit vers la berge. Mais à présent le dogue et le maître étaient à ses trousses, tout excités par cette chasse à cette heure indue alors que les honnêtes gens étaient censés dormir et que seuls les malfaiteurs rôdaient à l'aventure. Ils savaient que quelqu'un avait erré dans les parages de l'entrepôt avec des intentions probablement inavouables. Dans un coin de son cerveau, curieusement détaché de l'effort qu'il exigeait de ses jambes et de ses poumons, Bertred eut le temps de se demander pourquoi les allées et venues du jeune Hynde à pareille heure ne produisaient pas le même résultat. Mais bien sûr, le chien le connaissait, il était

178

confié à sa garde, ils étaient alliés pour protéger les biens qu'il y avait ici ; le jeune homme ne représentait ni un ennemi ni une menace.

Curieusement, fuyard et poursuivants troublaient à peine le tissu de la nuit et cependant il sentit plutôt qu'il ne vit que l'animal et le gardien convergeaient vers son chemin. Il eut conscience qu'un souffle décidé se rapprochait sur son flanc droit. Le veilleur lui tomba dessus avec un long bâton et lui en asséna un bon coup sur le crâne qui l'assomma à moitié, le déséquilibra et l'envoya bouler au bord même de l'eau. Mais il était débarrassé de l'homme qui était resté derrière ; c'est le chien qui le talonnait, le terrifiait et lui donna la force de bondir et de plonger depuis le surplomb verdoyant qui dominait la rivière.

La berge était plus haute qu'il ne le pensait et la rivière un peu plus basse, laissant des rochers à découvert. Au lieu de les dépasser et d'atteindre l'eau profonde, il tomba parmi les pierres inclinées, provoquant une gerbe d'eau, le bras tendu parmi les hauts-fonds. Sa tête encore douloureuse du coup qu'il venait de recevoir porta sur l'arête d'un caillou. Il resta étourdi à l'endroit de sa chute, à demi caché sous l'avancée des buissons, entièrement dissimulé par l'obscurité. Le dogue, dont l'eau n'était pas l'élément préféré, pataugea sans enthousiasme dans l'herbe et couina, refusant d'aller plus loin.

Le veilleur, qui était resté nettement en arrière, à bout de souffle, entendit le bruit de la chute, vit même un bref reflet sur la pâleur changeante de la Severn et s'arrêta à bonne distance de la berge pour rappeler son chien d'un coup de sifflet. Le voleur potentiel devait être déjà presque sur l'autre rive. Plus de souci à avoir. Il était à peu près sûr que le criminel n'avait réussi à s'introduire nulle part, sinon le chien aurait donné l'alarme plus tôt. L'homme n'en fit pas moins le tour de l'entrepôt et des ateliers de teinture pour vérifier que tout était en ordre. Le rebord qui s'était effondré sous les volets sombres pendait à la verticale, comme les planches sur lesquelles il reposait, mais le veilleur ne le remarqua pas. Le lendemain matin, il irait y regarder de plus près, apparemment il n'y avait pas eu de dégâts. Tout content, il retourna à sa cabane, son chien sur les talons.

Sans bouger, Vivian écouta jusqu'à ce que les aboiements du chien se fussent éloignés avant de cesser complètement. Il sortit presque douloureusement de son immobilité.

— Il y avait quelqu'un dehors ! Qui a deviné… ou qui sait !

Il s'essuya le front d'une main crasseuse, ce qui n'arrangea vraiment rien.

— Oh seigneur, qu'est-ce que je vais devenir ? Je ne peux pas vous laisser partir et je ne saurais vous garder ici plus longtemps, même pas un jour de plus. Si quelqu'un a des soupçons…

Judith resta silencieuse, sans détourner le regard qu'elle fixait sur lui. Maintenant qu'elle le voyait sale, humilié, elle se sentait émue malgré elle, sentiment qu'elle n'aurait jamais éprouvé quand il était fringant et tiré à quatre épingles, tel un beau coq dans sa basse-cour. N'osant plus s'obstiner dans ses projets trop audacieux, incapable de reculer, souhaitant ne s'être jamais embarqué dans cette équipée, il évoquait une mouche dans une toile d'araignée, qui s'enferre de plus en plus.

De nouveau il s'agenouilla devant elle, lui prit la main, la flatta, la supplia comme un enfant, oublieux de son charme, dépouillé de sa vanité.

— Judith, aidez-moi! Aidez-moi à m'en tirer! Essayez de nous imaginer une porte de sortie. Si on venait à vous trouver en ces lieux, je serais ruiné, perdu d'honneur... Et si je vous laisse aller, c'est vous qui me conduirez à ma perte...

— Taisez-vous, répondit-elle avec lassitude. Je n'ai rien contre vous, je ne tiens pas à me venger, seulement recouvrer ma liberté aux meilleures conditions.

— Ça me fait une belle jambe! Croyez-vous que vous pourrez réapparaître sans qu'on vous pose des questions? Même si vous gardez le silence, à quoi cela m'avancera-t-il? On ne vous laissera aucun répit avant que tout ait été éclairci, et je serai fichu. Si seulement je savais vers où me tourner!

— Cela me serait aussi utile qu'à vous de pouvoir éviter un scandale, mais il faudrait un miracle pour expliquer ces deux journées. Et je dois me protéger dans la mesure du possible. Chacun pour soi, mais j'aimerais autant que vous

vous en sortiez sans dommage, si cela se peut. Eh bien, qu'est-ce qu'il y a encore ?

Il s'était dressé, tendu, aussitôt sur le qui-vive, écoutant de toutes ses oreilles.

— Il y a quelqu'un dehors, murmura-t-il. Tiens, ça recommence. Vous n'entendez pas ? On nous espionne... Ecoutez !...

Elle se tut, mais elle n'était pas convaincue. Il était si nerveux, craintif à présent qu'il était bien capable de voir des ennemis partout. Pendant un long moment plus aucun son ne leur parvint. Même la brise légère contre les volets était tombée.

— Il n'y a personne, c'est votre imagination. Ce n'est rien !

Elle lui prit soudain les mains, lui montrant que c'était elle qui commandait, alors que jusqu'à ce moment elle s'était contentée de ne pas réagir à son contact.

— Ecoutez-moi ! Il y a peut-être un moyen ! Quand sœur Magdeleine est venue me voir, elle m'a proposé de me réfugier au gué de Godric si je sentais que j'étais au bout de mes forces et qu'il me fallait du temps pour me ressaisir. Dieu sait que j'en avais et que j'en ai toujours besoin. Si vous m'y emmenez nuitamment, en secret, je pourrai revenir plus tard et expliquer où j'étais, pour quelle raison, et donc que j'ignorais tout de ce qui se passait. Je prétendrai avoir fui pendant quelque temps pour trouver le courage de reprendre mes occupations, et j'espère de tout cœur que ce sera la vérité. Je ne vous nommerai

182

pas et je ne soufflerai mot de votre conduite envers moi.

Il la fixait, les yeux équarquillés, n'osant pas reprendre espoir, mais dans l'incapacité de résister avant de recommencer à douter s'il s'en tirerait à si bon compte.

— On vous interrogera sans relâche, on voudra savoir pourquoi vous vous êtes tue, et le motif d'un départ qui laisse tous vos proches dans l'angoisse. Et le bateau... ils sont au courant pour le bateau, ils doivent savoir...

— Quand on m'interrogera, déclara-t-elle fermement, je leur répondrai ou refuserai de leur répondre. Inquiétez-vous si cela vous amuse, il va falloir vous en remettre à moi. Je vous offre une échappatoire. C'est à prendre ou à laisser.

— Je n'ose vous accompagner jusque là-bas, avoua-t-il, en se tordant les mains.

— Ce n'est pas la peine non plus. Vous pouvez me laisser seule pour la dernière partie du chemin. Je n'ai pas peur. Il est inutile qu'on vous voie.

A chaque mot il reprenait espoir... et des couleurs.

— Mon père est reparti voir ses troupeaux aujourd'hui ; il passera au moins deux nuits dans les collines avec les bergers. Il reste un bon cheval aux écuries, assez solide pour nous porter tous les deux si vous montez en croupe avec moi. Je vous emmènerai hors de la ville avant la fermeture des portes, il vaut mieux qu'on ne la traverse pas ensemble. Il y a un gué un peu plus bas en aval, on n'a qu'à passer par là, et prendre la route du sud en direction de Beistan. Au crépuscule... si nous partons à ce moment... Je me suis si mal conduit envers vous, Judith, et vous pouvez me pardonner? Je ne le mérite pas!

Eh bien, on aura tout vu! pensa-t-elle, avec un sourire en coin. Vivian Hynde qui se montrait humble et ne se croyait plus tout permis! Cette peur salutaire qu'il s'était infligée l'aiderait peut-être à s'améliorer. Non, il n'était pas méchant, seulement faible, et il croyait que tout lui était dû. Elle n'en laissa pas moins sa question sans réponse : il y avait au moins une chose qu'elle trouvait difficile d'oublier, c'était de l'avoir laissée aux mains brutales de Gunnar qui avait manifestement apprécié de la tenir serrée contre lui alors qu'elle était dans l'incapacité de se défendre.

Elle ne craignait pas Vivian, mais elle n'aurait pas du tout aimé rencontrer Gunnar seule au coin d'un bois.

— Si j'agis ainsi, c'est autant pour vous que pour moi, déclara-t-elle. J'ai donné ma parole et je m'y tiendrai. Demain au coucher du soleil, d'accord. Il est trop tard pour se mettre en route ce soir.

Il était retombé dans ses doutes et ses craintes en se rappelant les bruits du dehors et les hurlements du chien.

— Mais si on devinait que vous étiez ici? Et s'ils revenaient demain en exigeant les clés? Partons tout de suite, Judith. On va aller chez mes parents, ce n'est pas loin du guichet. Nul ne nous verra à pareille heure. Ma mère vous cachera. Elle nous aidera et elle vous sera reconnaissante de m'avoir épargné. Mon père est dans ses collines, il ne saura jamais rien... Et puis vous pourrez vous reposer dans un vrai lit, il y aura de l'eau pour vous laver et tout le confort dont vous aurez besoin...

— Votre mère est au courant de vos agissements ? demanda-t-elle, atterrée.

— Non, non, pas du tout ! Mais elle nous aidera pour moi.

Déjà il était à la porte étroite, dissimulée derrière les balles de toisons ; il tourna la clé, attirant la jeune femme derrière lui dans sa hâte de fuir cet endroit et de courir se mettre à l'abri chez lui.

— Demain, j'enverrai Gunnar tout remettre en ordre. Comme ça, s'ils se montrent, ils en seront pour leurs frais.

Elle souffla la chandelle et le suivit. Ils descendirent l'échelle, se glissèrent par le panneau inférieur et s'enfoncèrent dans la nuit. La lune se levait à peine, baignant la pente d'une lumière vert pâle. Après l'odeur de renfermé, de poussière et de fumée de la chandelle dans cet espace confiné, l'air lui parut doux et frais. L'ombre des tours du château et le guichet dans le mur d'enceinte n'étaient qu'à deux pas.

Une silhouette plus sombre se frayait un chemin sur le vaste plan du clair de lune, coupant au plus court depuis l'arrière de l'entrepôt jusqu'au couvert des arbres puis, d'une façon détournée, rapide et silencieuse, jusqu'au bord de l'eau. Le surplomb d'où Bertred avait sauté pour échapper au mâtin demeurait dans la pénombre. Bertred n'avait pas bougé depuis sa chute; toujours inconscient, il commençait cependant à remuer et à gémir. Il reprenait péniblement son souffle comme la douleur s'éveillait en lui. L'ombre plus noire qui se posa perpendiculairement sur lui, juste au bord des rayons de la lune, s'étendit jusqu'à la berge de la rivière sans pénétrer son cerveau engourdi ni semer le trouble derrière ses paupières closes. Une main se tendit, le saisit par les cheveux, lui souleva la tête pour le regarder de plus près. Il était vivant et respirait normalement. Quelques soins, un peu de repos et il pourrait reprendre ses esprits, raconter ce qu'il savait.

L'ombre penchée sur lui se redressa et resta un moment à l'observer, indifférente. Puis elle enfonça le bout de sa botte dans le flanc de Bertred, le dégageant de l'endroit où il gisait, et le projeta dans l'eau profonde où le courant rapide et les tourbillons l'emportèrent en direction de la rive opposée.

L'aube du vingt juin se leva sur une succession rapide d'averses qui se calmèrent vers le milieu de la matinée pour céder la place à une belle journée ensoleillée. Il y avait pas mal de travail en attente dans les vergers de la Gaye, mais à cause de la pluie du matin, il faudrait patienter jusqu'au retour de la chaleur de midi avant de s'y atteler. Les cerises ne demandaient qu'à être cueillies, mais pour cela il était indispensable qu'elles soient sèches. Il y avait aussi les premières framboises à ramasser, et là encore l'humidité devait s'être évaporée. Sur les carrés de légumes où jouait le soleil, le sol s'était asséché et les moines de service s'affairaient à semer des laitues pour ne pas être à court, à biner, sarcler avant midi, mais c'était dans l'après-dînée que l'équipe du verger entamerait ses tâches à l'autre bout des terres de l'abbaye.

Il n'y avait aucune raison pour que frère Cadfael se trouvât là aussi, mais rien de spécial ne requérait sa présence à l'herbarium non plus, et le malaise croissant dû à l'incapacité de retrouver Judith Perle depuis trois jours ne lui laissait pas un moment de repos ni la tranquillité d'esprit pour s'occuper comme à l'ordinaire. Hugh n'avait pas donné signe de vie et il n'avait rien de rassurant à apprendre à Niall quand ce dernier vint aux nouvelles, l'air inquiet. Toute l'affaire était au point mort, les heures elles-mêmes retenaient leur respiration et le temps semblait suspendu.

Pour s'occuper en se livrant au moins à une activité physique, Cadfael accompagna les autres au verger. Comme cela arrive fréquemment lors des saisons tardives, la nature s'était décidée à compenser les semaines perdues pendant les frimas du printemps et s'était arrangée pour que les framboises et les premières groseilles à maquereau, encore bien fermes sur leurs buissons épineux, mûrissent presque comme à l'ordinaire. Mais Cadfael n'avait guère la tête à la cueillette. Les vergers étaient juste en face des buttes où les jeunes archers allaient tirer les jours de foire, au pied du mur de la ville, à l'abri des tours du château. Un peu plus loin, après un petit bois, il aurait une vue dégagée sur l'autre rive et les ateliers de foulage puis, juste en aval, sur la jetée de William Hynde.

Cadfael travailla un moment, si distraitement qu'il se griffa les mains plus souvent qu'à son tour. Mais au bout d'un bref laps de temps, il se redressa, se suça le doigt pour en retirer la dernière épine, se dirigea vers le fleuve et, longeant la rive, pénétra parmi les arbres. A travers les branches inclinées, la couronne de murailles ceignant la ville se déployait à côté de lui par-delà la rivière, avec la pente raide, toute verte, sous le rempart. Ensuite il y avait l'avancée du premier bastion surplombant la prairie qui devenait plus étroite. Cadfael continua sa promenade et atteignit une large étendue gazonnée, ponctuée de buissons bas, près du rivage ; çà et là, un banc de roseaux gardaient l'eau tranquille des hauts-fonds tandis que le courant devenait plus rapide au milieu de la Severn. En face les ouvriers de Godfrey Fuller travaillaient à étirer le tissu dont une longueur était disposée sur un cadre où on l'avait mise à sécher.

Il arriva à un endroit situé exactement en face des buissons où on avait découvert le bateau volé, laissé à l'abandon. Sur la berge un petit garçon gardait un troupeau de chèvres. Lumineux et paisible, le paysage aquatique sommeillait dans la lumière de l'après-midi, rendant difficile d'admettre l'existence des crimes, des enlèvements et du mal dans un monde aussi beau.

Cadfael avait à peine parcouru une centaine de pas et s'apprêtait à repartir dans l'autre sens. Il avait atteint une courbe où la berge opposée était érodée, dominant une eau profonde qui remontait sur le côté pour former un banc de sable où bougeaient à peine d'innocentes vaguelettes. C'était un lieu que Madog connaissait bien, où ce qui était tombé en amont pouvait être rejeté sur le rivage.

Et c'est précisément ce qui s'était produit la nuit précédente. Presque submergée, affleurant à peine à la surface, une masse assez sombre battue par les reflets argentés de l'eau s'était posée sur l'or mat du sable de la Severn. Une forme pâle qui flottait légèrement sans pour autant être un poisson attira d'abord le regard de Cadfael. C'était une main d'homme au bout d'une manche noire qui s'élevait juste assez pour que le flot l'agite. La tête brune d'un homme dont la nuque ridait à peine l'eau, avec ses boucles que déroulaient les vaguelettes, bougeait un peu d'un mouvement irrégulier.

Cadfael glissa sur la pente à toute vitesse, pataugea dans la flaque peu profonde pour s'assurer une double prise sur le tissu trempé et tirer le corps à sec. L'homme était indubitablement mort, sans doute depuis plusieurs heures. Il gisait à plat ventre, à deux pas de la rivière ; des ruisselets coulaient de chaque pli de ses vêtements et de ses mèches emmêlées. C'était un jeune homme gracieux et bien bâti. Faute de pouvoir lui venir en aide, il n'y avait plus qu'à le ramener chez lui et à lui offrir un enterrement décent. Il faudrait plusieurs paires de bras pour l'enlever de la rive et le porter le long de la Gaye. Cadfael alla chercher du secours sans perdre une seconde.

Cette carrure, ces chausses, ces vêtements sombres auraient pu caractériser des dizaines de jeunes de Shrewsbury (tous ceux qui travaillaient étaient ainsi habillés) et Cadfael n'identifia pas tout de suite la victime. Il se pencha pour la prendre solidement sous ses bras inertes et la retourna sur le dos, révélant au soleil indifférent le visage sali, pâle mais encore séduisant de Bertred, le contremaître des tisserands de Judith Perle.

CHAPITRE NEUF

Tout le monde accourut à son appel, dans l'agitation et l'effarement, même si un noyé rejeté par la Severn était monnaie relativement courante, et puis les jeunes moines n'étaient pas au courant de tout ce qui était arrivé. Certes, des échos du monde extérieur se frayaient un chemin parmi leurs aînés, mais dans la plupart des cas les novices restaient dans l'ignorance. Cadfael choisit les plus forts et les moins susceptibles d'être troublés par le spectacle de la mort ; les autres, il les renvoya au travail. Avec leurs binettes, leurs cordelières et leurs scapulaires, ils improvisèrent un brancard de fortune qu'ils descendirent par le sentier côtier jusqu'à l'endroit où gisait la victime.

Dans un silence impressionnant, ils chargèrent leur fardeau détrempé et le ramenèrent en procession à travers les arbres, les riches terres de la Gaye, sur le chemin qui remontait vers la Première Enceinte.

— Il vaudrait mieux le conduire à l'abbaye,

suggéra Cadfael, s'arrêtant un moment pour réfléchir. C'est la meilleure façon de le soustraire à la curiosité publique, et de là, on pourra envoyer quérir son patron ou sa famille.

Il y avait aussi d'autres raisons à cette décision mais il jugea inopportun de les mentionner pour le moment. Le défunt appartenait à la maison de Judith Perle et on ne pouvait à priori dissocier ce qui lui était arrivé de la série des drames qui semblaient s'amasser à plaisir sur le foyer et l'héritière des entreprises Vestier. Auquel cas l'abbé Radulphe était directement concerné et il avait le droit d'être informé ainsi que, c'était encore plus normal, Hugh Beringar. Ce n'était pas seulement un droit mais une nécessité : deux morts, une disparition, ayant toutes trait à la même personne et à ses tractations avec l'abbaye, voilà qui exigeait qu'on s'y intéressât d'un peu près. Il arrive certes à des jeunes gens solides, en pleine santé, de se noyer, mais Cadfael n'avait pas tardé à remarquer l'ecchymose que le cadavre portait à la tempe droite et qui, grâce à l'eau du fleuve, avait blanchi et cessé de saigner.

— Cours devant, petit, demanda-t-il à frère Rhunn, le cadet des novices, et informe le père prieur que nous avons un hôte un peu particulier.

Le garçon aux cheveux blond très pâle s'inclina, en signe de respect pour un ordre émanant d'un de ses aînés, et, plein de bonne volonté, détala sur l'instant. Rhunn considérait ce genre de tâches comme une marque de faveur plutôt qu'une obligation, car rien ne lui procurait davantage de plaisir que de voir mettre à contribution la vivacité et la grâce dont il ne disposait que depuis un an, lui qui était arrivé souffrant, infirme à la fête de sainte Winifred*. Son année de noviciat était presque terminée et bientôt il serait autorisé à prononcer ses vœux. Ni force ni persuasion n'auraient pu l'obliger à quitter le service de la sainte qui lui avait rendu la santé. L'obéissance, qui constituait encore une pierre d'achoppement et un fardeau pour Cadfael, représentait pour Rhunn un privilège qu'il acceptait avec autant de bonheur que le soleil sur son visage.

Cadfael se tourna pour le regarder gravir la côte et il couvrit d'un scapulaire le visage du noyé. Cependant qu'ils portaient Bertred le long de la route et de la Première Enceinte, l'eau dégouttait du tissu saturé. Comme de bien entendu il y avait des gens dehors qui s'arrêtaient en voyant passer le cortège funéraire sans se priver de se pousser du coude, de murmurer et d'ouvrir des yeux ronds. Aussitôt qu'il se produisait quelque chose d'inhabituel, les gamins du faubourg apparaissaient et se multipliaient à chaque pas. Et pas seulement eux, mais également les chiens, leurs inséparables compagnons, qui s'immobilisaient ou flânaient à leurs côtés avec la même expression de curiosité en éveil. Bientôt des suppositions de toute nature se répandraient dans les rues, mais jusqu'à présent personne ne pouvait mettre un nom sur ce visage voilé. Cette brève

* Voir *le Pèlerin de la haine*, du même auteur, dans la même collection, n° 2177.

période où nul n'était encore au courant, Hugh Beringar pourrait la mettre à profit, ce qui épargnerait un peu la mère de la victime. Elle aussi était veuve, se rappela Cadfael, quand ils entrèrent par le portail, laissant derrière eux un cercle de badauds rassemblés à bonne distance.

Le prieur Robert accourut pour accueillir la procession, frère Jérôme trottant sur ses talons. Frère Edmond, l'infirmier, et frère Denis, l'hôtelier, convergèrent au même instant vers les brancardiers et la bière. Une demi-douzaine de religieux, revenant de leur travail et qui traversaient la grande cour, marquèrent une pause pour regarder ce qui se passait. Petit à petit ils se rapprochèrent pour mieux suivre les événements.

— J'ai dépêché frère Rhunn pour avertir le père abbé, déclara Robert, penché sur le corps immobile qu'il dominait de sa haute taille et de sa chevelure argentée. C'est une vilaine affaire. Où avez-vous trouvé cet homme ? Où l'avez-vous sorti de l'eau ? Sur nos terres ?

— Un peu plus loin. Il avait été rejeté sur le sable. D'après moi, il est mort depuis quelques heures. Il était trop tard pour intervenir.

— En ce cas, était-il indispensable de l'amener en ces lieux ? Si on sait qui c'est et s'il a de la famille par ici, elle pourra s'occuper des rites funéraires.

— Indispensable, non, répliqua Cadfael, mais j'ai jugé préférable d'agir ainsi. Je gage que le seigneur abbé sera d'accord avec moi. Il y a des raisons à cela. Le shérif sera peut-être intéressé lui aussi.

— Vraiment? Et en quel honneur, s'il s'agit d'une noyade? Ce genre d'accident n'est pas inhabituel dans les parages.

Avançant une main avec componction, il écarta le scapulaire de la face blême, bleuâtre, qui resplendissait encore de santé quelques heures auparavant. Mais ces traits ne lui évoquaient rien. Si jamais il avait déjà vu Bertred, il n'y avait pas prêté attention. La maison de la rue Maerdol était située sur la paroisse de Saint-Chad, en ville; ni les offices ni les affaires n'avaient mis fréquemment Bertred en contact avec la Première Enceinte.

— Vous le connaissez? interrogea-t-il.

— De vue, oui, mais guère plus. C'était l'un des tisserands de Mme Perle et il vivait sous son toit.

A ces mots le prieur, qui prenait ses distances par rapport aux problèmes bassement matériels qui s'insinuaient parfois à l'intérieur de la clôture dont ils troublaient la bonne marche, ouvrit un œil rond. Il ne pouvait ignorer les événements fâcheux qui s'étaient produits autour de cette maison, ni repousser la conviction qu'un nouveau coup du sort allant dans la même direction devait relever du même ensemble déplorable. Les coïncidences existent, force est de l'admettre, mais là, il commençait a y en avoir un peu beaucoup.

Il poussa un grand soupir aussi neutre que possible.

— Oui, évidemment... Il n'est peut-être pas superflu que le père abbé soit mis au courant.

Justement Radulphe quittait le jardin et arrivait à grands pas, accompagné de Rhunn. Il ne souffla mot avant d'avoir découvert la tête et les épaules du tisserand qu'il observa, méditatif, pendant un long moment dans un lourd silence. Puis il remit le scapulaire en place et se tourna vers Cadfael :

— Frère Rhunn m'a déjà tout raconté, mais il ignore qui est cet homme. Et vous ?

— Moi, je le sais, père. Il s'appelle Bertred. C'est le contremaître des ouvriers de Mme Perle. Je l'ai vu hier. Il a participé à la battue avec les hommes du shérif pour retrouver sa patronne.

— Dont on est toujours sans nouvelles.

— En effet. Voilà trois jours qu'on la cherche, vainement.

— Et voici qu'on découvre son employé mort.

Il n'était pas utile de lui expliquer ce que cela impliquait, c'était assez clair.

— Cette noyade vous paraît-elle suspecte ?

— Il va falloir que j'y regarde de plus près. Apparemment non, mais il a reçu un coup sur la tête. J'aimerais examiner le corps plus attentivement.

— Le shérif également, j'imagine, s'empressa d'ajouter l'abbé. Je lui envoie quelqu'un tout de suite. En attendant, nous garderons le cadavre. Selon vous, savait-il nager ?

— Je l'ignore, mais j'aurais tendance à le croire, père. Sa famille ou son patron seront sûrement au courant.

— Eh oui, il faudra aussi les prévenir. Plus

tard, peut-être, quand Hugh l'aura vu et que vous aurez échangé vos impressions.

Et s'adressant aux brancardiers qui avaient posé le mort à terre et attendaient silencieusement un peu à l'écart :

— Emmenez-le à la chapelle mortuaire. Il serait préférable de le dévêtir et de le disposer décemment. Allumez des cierges. Quelle que soit la cause de sa fin, c'est notre prochain. Je vais demander à un palefrenier de prévenir Hugh Beringar. En attendant, suivez-moi, Cadfael. Je veux savoir tous les renseignements que vous avez pu rassembler sur cette malheureuse jeune femme.

Dans la chapelle funéraire on avait déposé le corps nu de Bertred sur une dalle en pierre et on l'avait couvert d'un drap. Ses vêtements trempés avaient été soigneusement pliés et mis à l'écart avec les bottes qu'on lui avait retirées. Comme il n'y avait pas énormément de lumière, on avait placé des chandelles dans de grands bougeoirs de façon qu'elles puissent jeter le plus de clarté possible. L'abbé Radulphe, frère Cadfael et Hugh Beringar se tenaient à proximité de la dalle. C'est l'abbé qui écarta le linge et découvrit le mort qui reposait, comme il se doit, les mains croisées sur la poitrine, très droit et digne. Quelqu'un, par déférence, lui avait fermé les yeux qu'il avait, croyait se rappeler Cadfael, à demi ouverts, et il avait l'air d'un dormeur sur le point de se réveiller, mais dont l'intention ne se transformerait jamais en acte.

Son corps jeune ne manquait pas de grâce, peut-être était-il un rien trop musclé. Il avait à peine plus de vingt ans, des traits réguliers, mais là encore un peu trop enveloppés par rapport à une ossature assez grêle. Les Gallois apprécient chez les leurs la robustesse et les os solides, ils considèrent comme une imperfection d'être un peu enrobé avec un squelette fragile. N'importe, le jeune homme était joli garçon. Son visage, son cou, ses épaules et ses avant-bras, ses mains étaient hâlés par le soleil et le vent, bien qu'il eût légèrement pâli à présent.

— Aucune marque visible, constata Hugh, le contemplant de la tête aux pieds, sauf cette plaie au front qui lui a occasionné au pis une bonne migraine.

Presque sous les cheveux on distinguait une coupure franche, mais ce n'était qu'un coup sans gravité. Cadfael souleva entre ses mains le crâne à l'épaisse chevelure collée sur le front large et le palpa.

— Ah, il y a autre chose du côté gauche, dans les cheveux, au-dessus de l'oreille. Une longue écorchure nette, mais avec cette tignasse seul le cuir chevelu a été touché. Ça l'a peut-être étourdi quelques minutes, mais ça ne l'a pas tué. Non, il s'est sûrement noyé.

— Mais qu'est-ce qu'il pouvait bien fabriquer dans un coin pareil, sur le rivage, en pleine nuit ? se demanda l'abbé à haute voix. Il n'y a rien là-bas, pas de sentier, pas de maison où s'arrêter un moment. Je ne vois pas ce qui pouvait l'amener précisément à cet endroit.

— Hier toute la journée, il a participé à la battue pour retrouver sa maîtresse, intervint Hugh. Il est au service de Mme Perle, il nous a proposé son aide et, à ma connaissance, il n'a pas marchandé sa peine. Peut-être a-t-il eu envie de continuer.

— Si loin? Mais il n'y a que des prés et quelques bosquets, objecta Radulphe. Une fois passées nos terres, il n'y a pas de chaumière à proximité, nulle part où cacher quiconque. Si encore on l'avait découvert sur l'autre rive, je comprendrais à la rigueur, il s'y trouve au moins un accès à la ville et à la Première Enceinte. Mais la nuit... Et une nuit noire qui plus est...

— Bon, admettons, mais d'abord comment a-t-il hérité de ces deux coups sur la tête pour finir dans la rivière? On peut s'avancer imprudemment sur une berge glissante et perdre l'équilibre, remarqua Hugh, opinant du chef, mais si on est natif d'ici c'est peu probable. Les gens connaissent le fleuve. On vérifiera s'il était bon nageur; mais chez nous les gamins apprennent très tôt. Sait-on où il a échoué sur la rive, Cadfael? Est-il possible qu'il soit entré par l'autre berge? S'il a essayé de traverser à la nage, à moitié assommé, il aurait pu aboutir à peu près là où on l'a trouvé.

— Il faudra interroger Madog. Lui connaîtra la réponse. Les courants sont certes très violents et traîtres par endroits. Oui, c'est possible, admit Cadfael, lissant distraitement les cheveux humides du défunt avant de lui voiler le visage. Il n'a plus rien à nous apprendre. Maintenant il nous reste à informer sa mère. Elle pourra peut-être au moins nous dire quand elle l'a vu pour la dernière fois et s'il lui a confié ses plans pour la nuit.

— J'ai envoyé chercher Miles Coliar, mais sans lui fournir d'explications. Ce serait mieux si c'était lui qui parlait à cette femme, elle prendra ça moins mal. D'après mes sources, elle travaille à la cuisine. Coliar voudra sûrement récupérer le cadavre et l'apprêter pour les funérailles, si vous ne voyez pas de raison pour le garder plus long-temps.

Cadfael se détourna de la bière avec un soupir.

— Non, aucune. Comme il vous plaira à tous deux !

Mais à la porte, juste avant de quitter la cha-pelle, il jeta un dernier regard prolongé vers la forme blanche immobile sur la dalle de pierre. Un autre jeune fauché prématurément, un gâchis encore une fois.

— Pauvre garçon, murmura-t-il, et il referma doucement la porte derrière lui.

Miles Coliar ne tarda pas à se présenter, seul, sans connaître les raisons de cette convocation, mais il se rendait évidemment compte que ce devait être grave. A en juger par son expression il éprouvait quelque inquiétude. Ses interlocuteurs l'attendaient dans l'antichambre de la loge. Miles s'inclina devant l'abbé et le shérif, levant un visage anxieux pour les dévisager tour à tour rapidement, s'interrogeant sur leur air solennel.

— Y a-t-il du nouveau, excellence? Ma cousine... A-t-on appris quelque chose? Est-ce la raison de ma présence?

Sa pâleur s'accrut, son visage tendu se transforma en masque d'effroi car il se méprit sur leur silence.

— Oh mon Dieu, non... Ce n'est pas possible... Vous l'avez trouvée...

Sa voix faiblit sur le mot « morte », mais il le forma des lèvres.

Hugh s'empressa de le détromper.

— Non, non, ce n'est pas ce que vous croyez! Nous n'avons rien de nouveau à son sujet, inutile d'envisager le pire. Il s'agit de tout autre chose, une mauvaise nouvelle aussi. Mais on continue les recherches pour votre cousine et il en sera ainsi jusqu'à ce qu'on la retrouve.

Miles eut à peine la force de murmurer : « Dieu merci! » Il respira à fond et ses lèvres se détendirent.

— Pardonnez-moi ma lenteur à comprendre et à m'exprimer et si je crains trop vite une tragédie. Je n'ai pas beaucoup dormi ni pris de repos ces derniers temps.

— Je suis désolé d'ajouter à vos soucis, mais je n'ai pas le choix, répondit Hugh. Ce n'est pas pour Mme Perle que vous êtes parmi nous. Vous n'avez pas constaté de défection à vos métiers aujourd'hui?

Miles le fixa, gratta ses cheveux bruns en bataille, à la fois surpris et soulagé.

— Aucun des tisserands ne travaille ce jour,

les métiers ne fonctionnent pas depuis hier ; tous ou presque nous participons aux recherches. J'ai laissé les femmes au filage, ce n'est pas leur rôle d'aller dans la nature avec les sergents et les soldats de la garnison. Pourquoi cette question ?

— Avez-vous vu Bertred depuis la nuit dernière ? Il habite chez vous, je crois.

— En effet, acquiesça Miles, plissant le front. Non, je ne l'ai pas vu de la journée ; comme on ne travaille pas, il n'y a pas de raison. Je suppose qu'il est parti avec les autres. Dieu sait pourtant qu'on a frappé à toutes les portes, regardé dans toutes les cours, interrogé tout le monde, hommes et femmes, et qu'on leur a demandé de nous transmettre toutes les informations susceptibles de nous aider. Et cependant je ne vois pas que faire d'autre. Il faut continuer. Ils ont pris la route et se renseignent dans tous les hameaux à un mile à la ronde, mais je ne vous apprends rien, je suppose. Bertred est sûrement en train de retourner chaque pouce de terrain. Je dois reconnaître qu'il n'a pas ménagé sa peine.

— Et sa mère ? Elle ne s'inquiète pas à son sujet ? Il n'a parlé à personne de ce qu'il avait en tête ? Elle ne vous en a pas touché un mot ?

De nouveau Miles les dévisagea tour à tour, non sans angoisse.

— Pas un mot ! s'exclama-t-il, maintenant, vous savez, tout le monde est soucieux chez nous, et ça se voit, mais je n'ai rien remarqué de spécial chez sa mère ni chez les autres non plus. Pourquoi ? Enfin que se passe-t-il, monsieur ? Vous savez sur Bertred quelque chose que j'ignore ? Ne me dites pas qu'il est coupable, c'est impossible ! Il s'est donné tant de mal à courir la ville pour ma cousine… c'est un brave garçon… vous ne l'avez quand même pas pris la main dans le sac…

Quand le seigneur shérif se mettait à poser ce genre de questions, on pouvait penser que ce n'était pas bon signe. Le voyant si agité, presque agressif, Hugh se mit en devoir de le calmer mais sans hâte excessive.

— Non, je n'ai rien à lui reprocher. C'est lui la victime et non le criminel. Ce que j'ai à vous apprendre est bien triste, maître Coliar.

A son intonation on pouvait en deviner la teneur sans trop de peine, mais il se devait d'être clair et de ne rien taire de la terrible réalité.

— Il y a une heure, les religieux qui travaillaient sur la Gaye ont sorti Bertred du fleuve et l'ont ramené ici. Mort. Noyé.

Dans le profond silence qui s'ensuivit, Miles resta figé, puis il se reprit et s'humecta les lèvres.

— Où est-il ?

— Dans la chapelle, répondit l'abbé. Le seigneur shérif va vous y conduire.

Dans la pénombre, Miles contempla ce visage qu'il connaissait si bien, qui lui semblait maintenant curieusement lointain. Le jeune tisserand hocha vigoureusement la tête à plusieurs reprises, comme si cela lui permettait d'éloigner non pas la mort elle-même mais le choc qu'il éprouvait face à elle. Il avait retrouvé son calme et une certaine résignation sans emphase. Un de ses ouvriers était mort; le devoir de le ramener et de le conduire à sa dernière demeure lui incombait en tant que patron, et il l'accomplirait jusqu'au bout.

— Comment est-ce arrivé? Hier soir il est rentré tard pour souper, ce qui ne signifiait rien, il avait passé toute la journée avec vos hommes. Il est allé se coucher peu après. Il m'a souhaité bonne nuit vers l'heure de complies, je crois. La maison était déjà silencieuse, mais certains d'entre nous étaient encore debout. Après je ne l'ai plus revu.

— Vous ne savez pas s'il est sorti cette nuit?

Miles releva la tête; le bleu de ses yeux écarquillés était étonnamment lumineux.

— On pourrait le penser, ce me semble. Mais pourquoi, grand Dieu? Il était épuisé après cette chasse interminable. Je ne vois pas ce qui a pu l'inciter à se lever avant ce matin. Attendez, il y a à peine une heure que vous l'avez sorti de la Severn...

— C'est moi qui m'en suis chargé, corrigea Cadfael depuis le coin obscur qu'il occupait. Mais il était dans l'eau depuis plus d'une heure. Depuis l'aube... C'est assez difficile d'être plus précis.

— Mais, regardez! Il est blessé!

Le front large et bas de défunt était sec à l'exception d'une mèche de cheveux. Les lèvres de la plaie se distinguaient sur la peau.

— Vous êtes sûr qu'il s'est noyé, mon frère?

— Tout à fait, mais j'ignore comment il a pris

ce coup, avant de tomber à la rivière en tout cas. Vous ne pouvez donc nous être d'aucune aide ?

— Je ne demanderais pas mieux, seulement je n'ai rien remarqué de spécial, pas une parole qui puisse apporter la moindre lumière. Je ne comprends pas. Je n'ai aucune explication à vous fournir. Puis-je le ramener à la maison ? demanda-t-il en regardant dubitativement Hugh en face de lui. Il va d'abord falloir que je parle à sa mère. Elle ne manquera pas de vouloir qu'il revienne.

— Naturellement, acquiesça Hugh, résigné. Quand il vous plaira. Peut-on vous être utile ?

— Non, monsieur, on se débrouillera. Je viendrai avec une charrette et de quoi le couvrir décemment. Je vous remercie, vous et l'abbaye, d'avoir pris soin de lui.

Il revint au bout d'une heure environ, épuisé d'avoir dû annoncer à la veuve la terrible nouvelle : qu'elle avait perdu son enfant et qu'elle resterait seule désormais. Deux ouvriers des métiers le suivaient avec une petite voiture à bras aux rebords élevés, servant au transport des marchandises ; ils attendirent, muets, l'air sombre, dans la grande cour que frère Cadfael les conduisît à la chapelle. Ensemble, ils portèrent Bertred en ce début de soirée lumineux, le déposèrent sur une couverture dont ils se servirent pour le dissimuler aux regards des curieux. Ils y étaient encore occupés quand Miles se tourna vers Cadfael et lui demanda très simplement :

— Et ses vêtements ? Sa mère tiendra à récupérer tout ce qui était à lui. Cela ne lui sera pas d'un grand secours, mais qu'y puis-je ? Elle aura aussi besoin de tout ce qu'on retrouvera, la pauvre. Remarquez, je veillerai à ce qu'on ne la laisse pas tomber et Judith en fera autant... quand elle sera de retour.

Apparemment il ne pouvait s'empêcher de penser au pire, tout en refusant cette éventualité.

— J'avais oublié, s'excusa Cadfael, qui ne s'était occupé que du cadavre. Un instant, j'y vais.

Le petit tas d'habits mis de côté dans la chapelle avaient été hâtivement pliés autant que faire se pouvait, car ils étaient gorgés d'eau. La veste et la chemise, les hauts-de-chausses de drap commençaient à sécher. Cadfael les posa sur son bras et de sa main libre prit les bottes qui étaient restées à terre. Il porta le tout dans la cour où Miles lissait le linceul improvisé sur les pieds de Bertred. Le jeune homme pivota pour le décharger et, tandis qu'il se penchait pour ranger les effets à peine secs, la charrette bougea et les bottes, placées en équilibre, churent sur les pavés.

Cadfael se baissa pour les ramasser et les remettre en place. C'était la première fois qu'il y prêtait vraiment attention et dans la cour on y voyait très bien. Il s'arrêta net, un soulier dans chaque main. Lentement il retourna la gauche pour en examiner attentivement la semelle pendant si longtemps que, quand il leva le nez, il se rendit compte que Miles ne bougeait pas non plus, tout étonné, la tête penchée comme un chien de chasse auquel le gibier aurait échappé.

— Je crois, déclara Cadfael d'un ton décidé, qu'il me faut demander au père abbé l'autorisation de vous accompagner en ville. Il importe que je parle au seigneur shérif dans les plus brefs délais.

Il ne fallait pas longtemps pour aller du château au bout de la rue Maerdol, et le garçon qu'on avait envoyé auprès de Hugh au pas de course le ramena dans le quart d'heure suivant, jurant raisonnablement, car on le dérangeait constamment, et l'empêchait ainsi de mener à bien les plans qu'il avait formés; il était en outre dévoré de curiosité car Cadfael n'aurait pas pris une telle initiative sans raison valable.

Dans la grande salle, dame Agathe, suivie de la pauvre petite Branwen en pleurs, se lamentait, volubile, sur les malheurs qui ne cessaient de s'abattre sur la maison des Vestier. Dans la cuisine Alison, à qui il ne restait plus rien, avait de bien plus graves raisons de se désoler cependant que les fileuses servaient de chœur à son chant funèbre. Mais dans l'atelier aux métiers où l'on avait cérémonieusement allongé Bertred sur une table à tréteaux, en attendant la venue de Martin Bellecote, le maître charpentier de la Wyle, il régnait un calme presque oppressant bien que trois ou quatre ouvriers échangeassent parfois quelques mots à voix basse.

— Il n'y a pas le moindre doute, affirma Cadfael, exposant la semelle à la lueur d'une petite lampe qu'une des filles avait placée au bout de la table.

Au-dehors le jour était à peine moins clair que pendant l'après-midi, mais comme les métiers étaient au repos, la moitié des volets demeuraient fermés.

— Voilà la botte d'où provient l'empreinte que j'ai relevée par terre, sous la vigne de Niall, et l'homme qui la portait est celui qui a tenté d'abattre le rosier et assassiné frère Eluric. J'en ai pris un moulage, je suis sûr de ne pas me tromper. Jugez vous-même, je l'ai avec moi. Vous verrez, ça correspond exactement.

— Je vous crois sur parole, rétorqua Hugh.

Mais comme il convenait de vérifier soi-même chaque élément de preuve, il prit le soulier, le bloc de cire et alla les comparer sur le pas de la porte.

— Il n'y a aucun doute.

Tout concordait parfaitement, il n'y avait pas d'erreur possible.

— Il semble, conclut Hugh, que la Severn nous ait évité à tous les frais d'un procès et à lui un sort pire que la noyade.

Miles était resté un peu à l'écart et il les regardait alternativement avec le même air d'étonnement et d'incompréhension que lors de sa méditation sur le corps de Bertred dans la chapelle mortuaire.

— Je ne saisis pas, prononça-t-il enfin, dubitatif. Est-ce que cela signifie que c'est Bertred qui est entré dans le jardin de l'orfèvre pour priver Judith de son rosier et qu'il a tué...

De nouveau il secoua vigoureusement, voire violemment le chef pour tenter de refuser la vérité ; il était semblable à un taureau qui s'efforce de se débarrasser d'un chien qui l'a saisi par les naseaux, mais il n'y réussit pas. Petit à petit la conviction s'imposait à lui, à en juger par l'affaissement de ses traits, son calme résigné et la lueur d'intérêt qui s'alluma dans son regard. Oui, le visage de Miles en disait long.

— Mais enfin, pourquoi ? demanda-t-il lentement, comme s'il commençait à envisager des réponses.

— D'après moi il n'a jamais prémédité ce crime, commença Hugh, et pour son désir de couper le rosier, vous nous avez vous-même fourni d'excellentes raisons à cela.

— Qu'est-ce que cela aurait apporté à Bertred ? Ma cousine n'aurait pas pu percevoir son loyer, d'accord. Mais qu'avait-il à y gagner ? Lui n'avait aucun avantage à retirer dans tout ça.

A ce point il marqua un temps de réflexion.

— Au fond, je ne sais pas... il faut peut-être essayer de voir plus loin. Il croyait avoir ses chances avec Judith, je le crains. Ce n'est pas la modestie qui l'étouffait, il avait plutôt bonne opinion de lui-même. Peut-être a-t-il imaginé pouvoir obtenir ses faveurs ; ça s'est déjà vu ces choses-là. Eh bien... il faut avouer que s'il était aussi ambitieux, la maison de la Première Enceinte représentait la moitié de sa fortune. Elle méritait le mal qu'il s'était donné pour la récupérer.

— Tous ses soupirants sont vraisemblablement arrivés aux mêmes conclusions, objecta Hugh. Il dormait ici ?

— Oui.

— Il pouvait donc sortir quand ça lui chantait, de jour et de nuit, sans déranger personne.

— Effectivement, c'est ce qui a dû se passer la nuit dernière car personne n'a entendu quoi que ce soit.

Hugh continua ce raisonnement :

— En admettant que nous possédions la preuve qui le rattache à la mort de frère Eluric, on est toujours dans le noir en ce qui concerne la disparition de Mme Perle. Apparemment il n'a rien à voir là-dedans et il nous reste encore à découvrir un second malfaiteur. Bertred nous a assistés très efficacement dans nos recherches. Je ne pense pas qu'il se serait donné autant de mal s'il avait eu ne fût-ce qu'une idée sur l'endroit où elle se trouvait, même si cela ne pouvait pas lui nuire de se montrer zélé.

— Je ne l'aurais pas cru capable de se conduire d'une manière aussi tortueuse, monsieur, articula lentement Miles, mais maintenant que vous avez clairement établi sa culpabilité, je ne peux m'empêcher d'aller plus loin. C'est curieux, depuis qu'on l'a ramené à la maison, sa mère nous a tout raconté de leur conversation d'hier soir. Elle vous en parlera sûrement si vous l'en priez. J'aimerais autant qu'elle s'en charge elle-même, comme ça on ne risque pas de me soupçonner d'avoir travesti ses propos. S'il y a quelque chose à en tirer, que cela vienne d'elle et non de moi.

La veuve, le visage ravagé par les larmes, entourée de pleureuses impuissantes, ne parvenait qu'à lâcher des bribes de mots entre deux sanglots. Elle ne voyait pas d'inconvénient à se lamenter devant le shérif quand ce dernier éloigna ses compagnes un moment afin de s'entretenir seul à seule avec cette pauvre femme si cruellement frappée.

— Il a toujours été gentil pour moi, balbutia-t-elle. Il ne volait pas sa patronne qui n'a eu qu'à se louer de ses services. Elle avait de l'estime pour lui. Mais il avait la folie des grandeurs. Comme son défunt père. Et regardez où ça l'a mené. Est-ce que ça me plairait, voilà ce qu'il m'a demandé la nuit dernière, est-ce que ça me plairait d'être mieux qu'une servante dans cette maison ? Une dame qui aurait sa place non pas à la cuisine mais dans la grande salle. D'après lui, je n'avais qu'à patienter un ou deux jours et on serait riches. Il paraît qu'il était seul à savoir quelque chose d'important. J'ai voulu comprendre pourquoi il n'en avait soufflé mot à personne : parce qu'il ne voulait pas qu'un autre s'attribuât le mérite de sa découverte, m'a-t-il répondu. Il ne voulait pas non plus que je m'en mêle.

— S'est-il expliqué sur ses projets pour cette

fameuse nuit? demanda Hugh, glissant sa question avec une discrétion tranquille dès qu'elle lui en laissa l'occasion, car elle devait reprendre son souffle.

— Tout ce que je sais, c'est qu'il comptait ressortir quand il n'y aurait pas de lune, mais il ne m'a pas dit où il allait ni pourquoi, ni ce qu'il manigançait. Il m'a priée d'attendre jusqu'au lendemain et de tout garder pour moi. Mais quelle importance maintenant? Que je parle ou que je me taise, il n'en sera pas plus avancé. Je lui ai répété de ne pas se flanquer dans le pétrin. Je me doutais qu'il ne serait peut-être pas seul à tenter le diable au cœur des ténèbres.

Son flot de paroles ne s'était nullement tari, mais elle commençait à se répéter et n'avait plus rien de nouveau à apporter. Ils la laissèrent aux mains des femmes; sa douleur, son amertume s'atténuaient petit à petit, elle était au bord de l'épuisement. Miles les assura, au moment où les hommes se retiraient, que la maison Vestier ne laisserait aucun de ses vieux serviteurs privé de tout moyen de subsistance. Alison était relativement à l'abri du besoin.

CHAPITRE DIX

Hugh partit d'un pas vif en direction de la croix haute au sommet de la colline, assez soulagé de tourner le dos à la maison du drapier sur laquelle s'étaient abattus tant de malheurs :

— Venez avec moi, dit-il. Puisque vous êtes de sortie, pourquoi ne pas vous joindre à moi pour la visite que vous m'avez empêché d'effectuer il n'y a pas bien longtemps ? J'étais presque à la porte de la ville quand votre messager est arrivé, forçant Will à me courir après pour me prévenir qu'on me demandait chez les Vestier. Il est parti devant avec deux hommes, il a eu le temps de s'y mettre, mais j'aime autant me rendre compte par moi-même.

— Où va-t-on ? s'enquit Cadfael, prenant volontiers le rythme de son ami.

— Parler au gardien de Fuller. C'est le seul endroit hors les murs où il devrait y avoir un témoin éveillé pendant la nuit et un chien de garde pour donner l'alarme si un rôdeur s'approche un peu trop. Si par hasard notre bonhomme est tombé à l'eau sur cette rive-ci, les ateliers et l'entrepôt ne sont pas loin en amont de l'endroit où on l'a trouvé. Il a peut-être entendu quelque chose. Et en chemin vous me donnerez votre avis sur tout ça, la petite balade nocturne de Bertred et le pactole qu'il allait empocher.

— Je suppose qu'il était seul à détenir une information d'importance... Hum ! Mais j'y songe, j'ai remarqué qu'il est resté en arrière pendant que vos sergents quittaient la jetée, hier après-midi. Il vous a laissé prendre une bonne avance puis il s'est glissé sous le couvert des arbres. Il est rentré très en retard à l'heure du souper où il a raconté à sa mère qu'il ferait d'elle une dame dans cette maison, et non une cuisinière. Ensuite il a de nouveau filé en pleine nuit, histoire de prouver qu'il était sérieux. D'autre part, selon Miles, il avait un faible pour sa patronne qu'il pensait pouvoir amener à partager ses sentiments.

— Je donnerais bien cent sous pour savoir comment, murmura Hugh avec son petit sourire en coin. En utilisant la force ou en jouant les sauveteurs ?

— Ou les deux, pourquoi pas ?

— Ah, vous commencez à m'intéresser ! Ce qu'on a caché, on sait où le trouver. Si d'aventure la dame est là où il l'a installée mais qu'elle ignore à qui elle est redevable de cette situation, car un Bertred ne doit pas être en peine de dénicher des hommes de main pour ses basses besognes, personne n'est en meilleure position que lui pour voler à son secours. Et si malgré tout elle n'avait pas eu envie de l'épouser, il y aurait sûrement gagné gros.

— C'est une façon de voir les choses, reconnut Cadfael. Une hypothèse corroborée par les indiscrétions de la petite Branwen, qui nous ont été rapportées. Bertred mangeait à la cuisine, les propos de cette fille ne sont sûrement pas tombés dans l'oreille d'un sourd. A l'office on était au courant alors que dans la grande salle il a fallu attendre le lendemain. Après la disparition de Mme Perle. Mais il y a d'autres possibilités. Un troisième larron pourrait l'avoir enlevée et Bertred aurait découvert où elle était détenue. Il a soigneusement gardé ça pour lui parce qu'il comptait se réserver le rôle du héros. Ce qui est nettement moins grave ; je ne le crois pas assez subtil pour dresser des plans aussi complexes.

— Vous oubliez que tout indique qu'il avait déjà un crime sur la conscience, objecta Hugh, parce que préméditation ou pas, c'est comme ça que ça s'appelle. Il a pu se retrouver forcé à continuer plus avant ce qu'il avait commencé sur un coup de tête. Il lui aura fallu brouiller les cartes de façon à récupérer au moins une partie des gains qu'il escomptait.

— Je n'oublie rien du tout, rétorqua Cadfael sans détour. Je vous ai fourni un argument pour étayer votre théorie, en voici un autre pour l'infirmer : s'il avait caché Judith quelque part, assez bien pour qu'on soit incapable de la retrouver, il aurait dû parvenir à la récupérer sans coup férir.

Seulement il est mort. Il faut donc croire qu'en dépit de toutes ses précautions il s'est mis en travers du chemin d'un tiers.

— Un point pour vous ! Mais dans l'immédiat, rien ne nous interdit de penser qu'il a joué de malchance. A moins que ce ne soit le contraire : si c'est lui le meurtrier et le ravisseur, il ne reste plus personne dans l'ombre, mais hélas Judith Perle est toujours dans la nature et le seul qui pouvait nous conduire à elle est passé de vie à trépas. Maintenant, s'il s'agit de deux personnes distinctes, il nous reste à mettre la main sur le geôlier et sa prisonnière. Et puisqu'il semble que le but de la manœuvre soit de la forcer au mariage, on peut espérer qu'elle est vivante et qu'on finira par la sortir de là. Mais je préférerais empêcher cette démarche en découvrant moi-même sa cachette.

Au sommet de la crête ils commencèrent à redescendre, traversèrent la rampe menant à la loge du château, longèrent les hautes murailles jusqu'à ce que le mur de la ville à leur gauche et celui de la forteresse à leur droite convergent en une tour basse sous laquelle passait la grand-route. Après, la route plate s'étendait devant eux, bordée sur une courte distance par des jardins et des maisons de petites dimensions. Hugh tourna à droite, à l'extérieur des douves sèches et profondes avant d'arriver aux maisons, et, suivi de Cadfael qui allait d'un pas plus lent, s'engagea sur la pente menant à la Severn.

Les terrains d'étendage de Godfrey Fuller

étaient déserts, le drap qui séchait avait été retiré et roulé pour qu'on le termine. La plupart des hommes avaient fini leur tâche de la journée et les derniers s'étaient attardés pour assister à l'arrivée des représentants de la loi avant de regagner leurs logis en ville. Un petit groupe compact d'ouvriers s'était rassemblé au bord du champ, entre les ateliers et l'entrepôt de laine. Le maître de céans Godfrey Fuller en personne avait troqué ses habits élégants pour de solides vêtements de travail, car il n'était pas du genre à rougir de se salir les mains aux côtés de ses employés, et il était très fier de pouvoir exécuter ce qu'il leur demandait aussi bien et si possible mieux qu'eux. Il s'entretenait avec son gardien, un bonhomme trapu d'une cinquantaine d'années, qui tenait un dogue en laisse, et le plus âgé des sergents de Hugh, un nommé Warden, massif et la barbe en bataille. Deux membres de la garnison veillaient à quelques pas de là. A la vue du shérif qui dévalait la prairie à grands pas, Warden s'écarta de ses compagnons pour venir à sa rencontre.

— D'après le garde, il y a eu une alerte la nuit dernière, monsieur, le chien a donné de la voix.

Le veilleur s'exprima sans hésitation, conscient d'avoir accompli son devoir.

— On a eu un voleur, excellence, à minuit largement passé, il a grimpé jusqu'à la demi-porte derrière l'entrepôt de maître Hynde. A ce moment, remarquez, je ne savais pas qu'il avait poussé si loin, seulement le chien était là. On est sortis et on l'a entendu détaler vers le fleuve. J'ai essayé de lui couper la route, impossible, il est passé trop vite. Je lui ai simplement flanqué un coup sur le crâne, mais ça n'a pas eu grand effet à en juger par l'allure à laquelle il filait en direction de la berge. Je l'ai entendu plonger et j'ai rappelé le chien avant de vérifier s'il avait pénétré dans le magasin. Mais il semble que non; en tout cas je n'ai rien remarqué à ce moment-là. J'ai supposé qu'il avait traversé et je n'avais plus de raison de m'inquiéter. Je ne savais pas que c'était un mort qui avait atterri sur l'autre rive. Je n'ai jamais voulu ça.

— Vous n'avez rien à voir là-dedans, le rassura Hugh. Votre gourdin ne lui a pas causé grand dommage. Il s'est noyé en tentant de traverser.

— Mais ça n'est pas tout, monsieur! Quand j'ai jeté un coup d'œil à l'entrepôt, ce matin, regardez ce que j'ai trouvé dans l'herbe, sous le panneau. J'ai tout remis à votre sergent ici présent.

Will Warden tenait entre ses mains un long ciseau à froid et un petit marteau muni d'un arrache-clou qu'il montra dans un silence lourd de conséquence.

— Il y avait aussi le rebord qui a cassé et qui pendouillait. Je suppose qu'il s'est juché dessus pour essayer de s'introduire par le volet et arriver jusqu'aux toisons. Il y a un an, quand on les a entreposées, on nous en a volé deux balles. Le vieux William Hynde a piqué une de ces rages! Venez voir, monsieur.

Cadfael, pensif, les suivit à pas lents comme ils contournaient le magasin pour rejoindre la pente à l'arrière du bâtiment où la lourde porte était encore solidement barricadée, bien que la grosse poutre pendît verticalement contre les planches du mur avec ses échardes entourant l'emplacement des clous, là où le bois s'était ramolli en pourrissant.

— Elle a cédé sous son poids, nota le gardien en levant les yeux. Le dogue l'a entendue tomber. Les outils sont partis avec et il n'a pas eu le temps de les ramasser. S'il s'était attardé une seconde, on l'aurait eu. Mais si ça n'est pas une preuve qu'il voulait entrer pas effraction... Et le plus fort, c'est que, s'il y était parvenu, poursuivit l'homme, hochant la tête devant la naïveté de ceux qui se croient plus malins que les autres, les toisons seraient restées hors de portée.

Hugh se tourna vivement vers lui, l'air très surpris.

— Ah bon? En quel honneur?

— Il y a une seconde porte, monsieur, fermée à clé sur laquelle il aurait buté. Vous n'en saviez rien, j'imagine. C'est normal. Le secrétaire de William Hynde avait coutume d'y travailler. On l'utilisait pour la comptabilité jusqu'à ce que des voleurs entrent par là. A l'époque il achetait pour vendre à l'étranger; il pensait que ce serait plus pratique si son clerc venait tenir les écritures chez lui. Mais puisqu'ils avaient fini leurs transactions, la vieille chambre des comptes devenait inutile et on a renforcé la barrière à titre de protection supplémentaire contre les cambrioleurs. Si ce vaurien était entré, il aurait été bien avancé.

Très attentif, Hugh réfléchit en se mordant les lèvres, l'air sceptique.

— Ce vaurien, mon ami, opérait également dans la laine et connaissait l'endroit comme sa poche. Il est venu plus d'une fois y chercher des toisons pour les Vestier. Et il aurait ignoré cette porte secrète ? Mon adjoint a demandé hier qu'on le conduise partout et il a vu le grenier plein de balles presque jusqu'à l'échelle. S'il y a une ouverture elle est cachée derrière la laine.

— Eh oui, monsieur, c'est exact. Je parie qu'il n'y a pas eu âme qui vive à y entrer depuis qu'on l'a condamnée. Il n'y a rien là-dedans.

« Maintenant, oui », songea Cadfael. « Mais il y avait eu quelque chose, ou mieux quelqu'un ! Et pas plus tard qu'hier. » Apparemment c'est ce que croyait Bertred. Il pouvait se tromper, certes. N'empêche qu'il connaissait la pièce, peut-être a-t-il voulu y regarder de plus près, sans raison particulière. Auquel cas sa curiosité lui avait coûté fort cher. Il rêvait d'améliorer sa situation en jouant les héros, d'exploiter au maximum la gratitude d'une femme, de s'insinuer pas à pas dans ses bonnes grâces, et ses rêves avaient été balayés, emportés par les courants de la Severn. Savait-il vraiment quelque chose qu'ignoraient les autres ou cette chambre dérobée ne représentait-elle qu'une éventualité pour lui ?

— Will, dit Hugh, envoyez un homme chez

Hynde et demandez-lui, ou à son fils, de venir nous apporter les clés! Il est grand temps que j'inspecte les lieux moi-même. Je n'ai que trop tardé, je le crains.

Ce ne fut ni William Hynde ni son fils Vivian qui se présentèrent avec le sergent au bout d'un petit quart d'heure, mais un serviteur de drap et de cuir vêtu. Il était grand, solide, l'air impudent, avec une courte barbe bien taillée qui mettait en relief une bouche large et une mâchoire volontaire. Il avait l'élégance d'un petit hobereau normand alors qu'il était manifestement saxon, avec des cheveux d'un blond tirant sur le roux. Il s'inclina négligemment devant Hugh et se redressa pour le défier du regard de ses yeux d'un bleu aussi pâle que la glace, rappelant son ascendance nordique.

— Voici, monsieur, ce que ma maîtresse vous envoie, et moi je suis à votre service.

Il tenait dans sa main les clés fixées à un gros anneau et il y en avait un nombre impressionnant. Sa voix était forte avec des résonances métalliques, mais il se montrait plutôt courtois.

— Mon patron est parti voir ses troupeaux vers Forton, depuis hier en fait; le jeune monsieur est allé lui donner un coup de main aujourd'hui. Il sera de retour demain, si vous souhaitez le voir. Commandez, je suis à votre disposition.

— Je vous ai aperçu en ville, observa Hugh, avec un intérêt détaché. Ainsi donc vous servez chez Hynde. Quel est votre nom?

— Gunnar, excellence.

— Et vous avez la garde des clés. Eh bien, Gunnar, veuillez nous ouvrir ces portes. Je vais voir ce qu'il y a à l'intérieur. Quand attend-on la péniche si maître Hynde a le loisir de visiter ses moutons en personne ? s'enquit-il, voyant le domestique se tourner sans rechigner pour s'exécuter.

— Avant la fin du mois, monsieur, mais le marchand envoie un mot à l'avance depuis Worcester. Ils emportent les toisons par le fleuve jusqu'à Bristol puis par voie de terre jusqu'à Southampton d'où ils les expédient. Ça raccourcit sérieusement la traversée. Il paraît que le passage par le sud-ouest n'est pas une partie de plaisir.

Tout en parlant, il s'affairait à retirer deux énormes cadenas de la barre des portes du magasin dont il tira les deux battants pour laisser entrer la lumière à flots sur un plancher soigneusement balayé, légèrement surélevé, où l'on avait emmagasiné des toisons de seconde qualité. Tout était vide à présent. Dans le coin gauche une échelle de bois menait à l'étage supérieur à travers une trappe grande ouverte.

— Etes-vous au courant des affaires de maître Hynde, Gunnar ? demanda discrètement Hugh, en franchissant le seuil.

— Il m'honore de sa confiance. Je suis allé à Bristol avec la péniche ; à cause d'un blessé ils étaient à court de main-d'œuvre. Si vous voulez vous donner la peine de monter, monsieur. Attendez, je vais passer devant.

Il était sûr de lui, ce Gunnar, et s'exprimait fort bien, se disait Cadfael. Tout à fait le type du serviteur intelligent et fiable dans une entreprise commerciale, capable de s'adapter au voyage et de profiter de l'expérience acquise. De par sa stature, son attitude, sa complexion, on devinait que ses ancêtres venaient du Nord. Dans le comté, les Danois n'avaient pas dépassé Brigge, mais ils avaient laissé quelques rejetons en se retirant. Cadfael les suivit sans hâte quand ils montèrent à l'étage. Ici, on n'y voyait goutte, assez cependant pour distinguer les balles entassées qui s'étalaient d'un mur à l'autre.

— Cela manque un peu de lumière, constata Hugh.

— Un instant, monsieur, je vais ouvrir.

Sans plus tergiverser, Gunnar saisit un des paquets situés au centre qu'il souleva pour le déplacer. Il répéta plusieurs fois l'opération jusqu'à ce qu'apparût une porte faite d'épaisses planches de bois. Il agita son pesant trousseau tintinnabulant, choisit une clé qu'il enfonça dans la serrure. En plus de l'huis il y avait deux barres de fer disposées transversalement qui gémirent quand il les retira de leur logement. La clé grinça lorsqu'il la tourna.

— Il y a un bout de temps qu'on n'est pas venu là-dedans, s'exclama-t-il joyeusement. Ce ne serait pas une mauvaise chose d'aérer un peu.

La porte s'ouvrait vers l'intérieur. Il la repoussa complètement et se dirigea droit vers le panneau hermétiquement fermé. A grand bruit il libéra les volets qu'il poussa pour laisser pénétrer le maximum de soleil oblique.

— Attention à ne pas vous salir, monsieur, prévint-il obligeamment, puis il se recula pour permettre aux visiteurs d'inspecter l'étroite petite pièce.

Un souffle de brise s'éleva et des toiles d'araignée accrochées au chambranle grossier volèrent au vent léger.

La chambre était nue, à l'exception d'un vieux banc contre la paroi; des bouts de vélin, de tissu, de bois, de laine et autres objets impossibles à identifier traînaient dans un coin en compagnie d'une grande aiguière au bec brisé; le vieux pupitre était tout de guingois. Il régnait une profonde impression de tristesse et d'abandon. Il est vrai que l'endroit ne servait plus depuis deux ans et on l'avait barricadé puis oublié pendant une année.

Cunnar mentionna lui aussi les voleurs de toisons.

— Mais ils auraient été désagréablement surpris s'ils avaient voulu recommencer. Ah, il faut que je referme bien en partant. Mon maître m'arracherait les yeux si j'oubliais de replacer une barre ou de donner un tour de clé.

— Vous avez eu un visiteur pas plus tard que la nuit dernière, murmura Hugh, mine de rien. Vous ne le saviez pas?

Gunnar se tourna vers lui, bouche bée, sous le coup de l'étonnement.

— Un voleur hier soir? Non, je n'étais pas au

courant et ma patronne non plus. Qui vous a parlé de ça?

— Demandez au gardien en bas. Un certain Bertred, un tisserand, qui travaillait pour Mme Perle. Jetez donc un coup d'œil au panneau, dehors, vous constaterez qu'il a cédé sous son poids. Le chien a forcé l'homme à se jeter à l'eau.

Très détendu, Hugh regardait la pièce condamnée tout en observant attentivement son vis-à-vis.

— Il s'est noyé, conclut-il.

Le silence qui suivit fut bref mais intense. Gunnar demeura muet, le regard fixe. Toute son assurance et sa légèreté s'étaient muées en une gravité glacée.

— Vous l'ignoriez? s'étonna Hugh, les yeux fixés sur le plancher poussiéreux où le passage de Gunnar avait laissé les seules empreintes nettes entre la porte et le volet.

— En effet, monsieur, répondit-il, contrôlant son intonation, d'une voix qui n'était plus ni forte ni confiante. Je connais ce garçon. Pourquoi aurait-il voulu nous voler? Il ne manque de rien... enfin il ne manquait... Il est mort?

— Tout ce qu'il y a de mort, Gunnar. Noyé, je vous l'ai dit.

— Christ ait son âme! murmura lentement Gunnar, plus pour lui-même que pour ses interlocuteurs. Je le connaissais bien. On a joué aux dés ensemble. Dieu sait qu'il était plutôt en bons termes avec tout le monde et que personne ne lui voulait de mal.

225

Il y eut de nouveau une pause. Comme si Gunnar avait abandonné ses interlocuteurs pour se retirer en un lieu inconnu. Ses yeux d'un bleu de glacier paraissaient opaques, comme s'il avait abaissé un rideau. Ou que son regard s'était tourné vers le dedans et non vers l'extérieur.

— Avez-vous terminé, monsieur ? Puis-je tout refermer ? demanda-t-il d'un ton uni.

— Je vous en prie, répondit Hugh, tout aussi brièvement. J'ai fini.

En reprenant le chemin de la ville, ils restèrent pensifs et silencieux jusqu'à la porte du château.

— Si elle était dans ce trou à rats, on s'est donné beaucoup de mal pour effacer toute trace de son séjour, remarqua soudain Hugh.

— C'est ce que pensait Bertred. Mais il a pu se tromper. Il était sûrement sur place pour essayer de la délivrer, mais ce n'était peut-être qu'une supposition, fausse de surcroît. Il connaissait cette pièce, et aussi que la plupart des gens l'ignorait et que donc, pourvu qu'on n'en parle pas, elle pouvait servir de prison. Il considérait également le petit Hynde comme un ravisseur possible, assez prétentieux, obstiné et trop à court d'argent pour continuer à mener la belle vie. Mais Bertred n'était-il pas venu à l'aveuglette ? Avait-il vraiment découvert un élément qui levait tous ses doutes ?

— La poussière ! s'exclama Hugh. Aucune empreinte de pas sauf celles de Gunnar ; en tout cas, je n'en ai pas vu d'autres. Et le petit jeune,

Vivian, le fils, il a effectivement quitté la cité à cheval ce matin, je le savais, Will m'en a touché un mot. Il n'y donc plus que la mère à la maison. Serait-elle capable de mentir ? Je vois assez mal le garçon lui confier à elle qu'il a enlevé et caché une femme ! S'il l'a emmenée ailleurs après l'alerte de cette nuit, ce n'est vraisemblablement pas chez ses parents. Je m'en vais pourtant retourner leur rendre une petite visite. J'imagine que Bretred a tenté sa chance, mais ça a plutôt mal tourné, le pauvre ! Les roses ne lui ont pas porté bonheur, ni sa tentative de sauvetage. Aucun de ses projets ne s'est réalisé.

Alors qu'ils gravissaient la rue en pente après la porte et approchaient de la rampe conduisant à l'entrée du château, Hugh rompit un autre silence prolongé.

— Il n'était pas au courant ! Il ne savait vraiment rien !

— Hein ? De qui parlez-vous ?

— De Gunnar, voyons. Jusqu'à maintenant je me méfiais de lui. Il avait l'air si sûr de lui, détendu, jusqu'à ce qu'on évoque la mort de ce garçon. Ma main au feu que c'est nous qui lui avons appris la nouvelle. Ce n'était pas de la comédie. Vous êtes d'accord, Cadfael ?

— D'après moi, ce monsieur ne doit pas être à un mensonge près s'il y trouve son compte. Mais dans le cas présent, il ne mentait pas. Sa voix a changé, son expression aussi. Non, il ne savait pas. Il a été secoué jusqu'au tréfonds de lui-même. S'il a pris part à une action malhonnête, il n'a jamais cru que ça se terminerait par un décès. Encore moins celui de Bertred!

Ils s'arrêtèrent en arrivant à la rampe et Cadfael leva les yeux vers le ciel un peu voilé qu'adoucissait l'approche du crépuscule.

— Eh bien, on n'a plus qu'à s'arrêter pour ce soir. Quelles sont vos intentions pour demain?

— Demain, répondit Hugh, très décidé, je demanderai qu'on m'amène Vivian Hynde dès qu'il montrera le bout de son nez aux portes de la ville, et je verrai quelles explications il a à me fournir sur l'endroit où officiait le clerc de son père. D'après ce que je sais de lui il devrait être beaucoup plus facile de l'effrayer lui que son domestique, ce me semble. Et même s'il est blanc comme neige, une frousse salutaire ne lui sera pas inutile à tout point de vue.

— Allez-vous rendre publique la culpabilité de l'assassin de frère Eluric, ainsi que sa mort?

— Non, pas encore. Jamais peut-être. On va laisser tranquille cette pauvre femme au moins jusqu'à l'enterrement de son fils. Cela nous avancerait à quoi de crier sur les toits qu'on sait qui est le criminel alors qu'il n'y aura jamais de procès?

Hugh, les sourcils froncés, repensait à la scène dans l'atelier aux métiers, regrettant que Miles Coliar y eût assisté.

— A Shrewsbury on a l'oreille fine et la langue bien pendue. Si ça se trouve, demain toute la ville en parlera sans que j'y sois pour rien. Peut-être aussi que Coliar se taira par respect pour la mère de Bertred. De toute manière il n'y aura aucune déclaration de ma part à se mettre sous la dent avant qu'on ait retrouvé Judith Perle. Il faut ce qu'il faut. Les cancans, ça ne me gêne pas. Il y aura peut-être quelqu'un qui prendra peur et commettra l'erreur que j'attends.

— Il convient d'informer le père abbé de tout cela, remarqua Cadfael.

— D'accord, ce n'est pas la même chose. Il en a le droit et vous le devoir. Je vous suggère donc de rentrer à l'abbaye, conseilla Hugh, quant à moi je vais voir si un de ceux que j'ai envoyés par monts et par vaux a eu plus de chance que moi.

Sur cette note où s'exprimait davantage la conscience professionnelle que l'espoir, ils se séparèrent.

En arrivant au portail Cadfael constata qu'il était en retard pour vêpres; les religieux étaient dans le chœur et l'office presque terminé. Il s'en était passé des choses en une seule après-midi !

Quand il franchit le guichet, le portier sortit de sa loge pour l'informer qu'il était attendu.

— C'est maître Niall, l'orfèvre. Entrez donc, on a passé un moment à bavarder, mais il veut s'en aller au plus tôt.

Niall en avait entendu assez pour savoir qui était le nouvel arrivant. Il sortit, tenant sous son bras un sac en tissu grossier. Un seul regard au visage de Cadfael lui suffit pour comprendre que ce dernier en était toujours au point mort. Il ne lui en demanda pas moins s'il y avait du neuf.

— Malheureusement non. Je suis désolé. Je

quitte tout juste le shérif, sans rien de prometteur à vous rapporter.

— J'ai attendu au cas où vous auriez de bonnes nouvelles, aussi minces soient-elles. Je me sens tellement impuissant! Tant pis, il faut que j'y aille.

— A cette heure-ci? Où cela?

— Chez ma sœur et son mari, à Pulley, voir ma petite fille. Je dois apporter des ornements de caparaçon pour un des chevaux de Mortimer. Oh, ça n'était pas à quelques jours près. Mais la petite m'attend. C'est le soir où j'ai l'habitude d'aller la voir. Sinon je ne bougerais pas. Cependant je ne resterai pas dormir. Je reviendrai dans la nuit. Au moins pour être près des roses, même si je dois me contenter de cela.

Avec un peu de tristesse, Cadfael lui reprocha de sous-estimer ses efforts.

— C'est vous qui avez sauvé le rosier. Et d'ici après-demain, elle sera de retour pour recevoir de vos mains la fleur qui lui est due.

— Puis-je considérer cela comme une promesse? demanda Niall, avec un peu de rancune et un sourire en coin.

— Plutôt comme une prière. Je n'ai rien de mieux à vous offrir. Il y a trois miles d'ici à Pulley et trois miles pour le retour; ça vous laisse le temps de réciter tout un chapelet. Et souvenez-vous que dans deux jours ce sera la fête de sainte Winifred! Elle sera tout ouïe. Ou rien n'aurait plus de sens. Elle aussi a eu des prétendants indésirables et elle a conservé sa virginité. Elle n'abandonnera pas une de ses compagnes.

— Bien... je dois m'en aller. Que Dieu soit avec vous, mon frère.

D'un coup d'épaule, Niall souleva son sac de rosettes et de boucles de bronze pour le destrier de Mortimer, puis il s'éloigna à grandes enjambées le long de la Première Enceinte en direction du chemin qui, partant du pont, piquait vers le sud-ouest. Sa silhouette très droite, massive, s'éloignait à bon train dans l'air du soir couleur gris de perle que rafraîchissait la venue du crépuscule. Cadfael le suivit des yeux jusqu'à ce qu'il tournât le coin après l'étang du moulin et disparût.

Voilà un homme qui n'appréciait ni les grands mots ni les grands gestes, mais Cadfael se rendait douloureusement compte du sentiment de frustration qui rongeait le cœur de Niall pour qui une seule chose importait au monde et qui savait ne pouvoir intervenir en quoi que ce fût.

CHAPITRE ONZE

Niall quitta Pulley et reprit le chemin de Shrewsbury un peu avant minuit. Cécile aurait mieux aimé qu'il restât, arguant, ce qui ne manquait pas de bon sens, que son retour ne changerait rien. Elle ajouta un argument que Cadfael avait préféré ne pas invoquer : tant que Judith serait aux mains de son ravisseur, il n'y avait guère de raison de s'occuper du rosier, car cela ne servirait à rien. Qui donc pourrait remettre une rose à une femme qui avait disparu ? Si un individu quelconque cherchait à rompre le contrat et à récupérer la maison du faubourg, comme chacun semblait s'accorder à le penser, il avait pratiquement réussi sans prendre de risque supplémentaire.

Vis-à-vis de sa sœur, Niall s'était montré discret sur toute l'affaire et il avait gardé pour lui ses sentiments personnels, mais apparemment elle avait tout compris d'instinct. Du fait de la distance, les derniers potins de Shrewsbury arrivaient ici passablement déformés, un peu comme des contes de bonne femme, sans guère de rapport avec la vraie vie. Dans le hameau, la réalité, c'était le domaine, ses champs, ses quelques paysans, les halliers entourés de fossés d'où les enfants chassaient les chèvres, les bœufs qui tiraient la charrue et le couvert de la forêt. Les deux fillettes qui écoutaient, les yeux ronds, la conversation des grands pensaient certainement que Judith Perle était une de ces dames victime des enchantements d'une sorcière dans les récits féeriques du temps jadis. Les deux garçons de Cécile, avec leur tignasse en bataille et leurs yeux bruns, qui connaissaient les bois comme leur poche, n'avaient vu que deux ou trois fois, et de loin encore, les tours du château de Shrewsbury. Trois miles, ce n'est pas la mer à boire, mais c'est déjà suffisamment loin quand rien n'oblige à les parcourir. Si John Stury venait en ville deux fois par an pour faire des achats, c'était le bout du monde. Du reste, en règle générale, le petit manoir se suffisait à lui-même. Niall était parfois troublé en songeant qu'il lui faudrait bientôt récupérer sa fille et la ramener avec lui de peur de la perdre à jamais. Parmi cette famille heureuse, elle mènerait une vie simple et agréable, mais pour lui ce serait une perte irréparable.

Elle s'était endormie bien avant son départ, avec les trois autres au grenier. Il l'avait déposée lui-même dans son petit lit, tout assoupie déjà. Elle avait les mêmes cheveux blonds et fins que sa mère, une peau laiteuse qui resplendissait au soleil de l'été avec la même nuance dorée. Les enfants de Cécile étaient plutôt brun-roux, comme leur père, ils étaient souples, minces, avec des yeux noirs. Elle était potelée, lisse et douce. Elle avait été placée auprès de ses cousins presque depuis sa naissance ; il lui serait difficile de les quitter.

— Tu ne verras pas plus loin que le bout de ton nez pour rentrer, émit John, sondant l'obscurité depuis le pas de sa porte, la lune ne se lèvera pas avant plusieurs heures.

Dans la nuit d'été, la forêt dégageait une forte odeur de résine que l'absence de vent rendait plus lourde.

— Cela ne me gêne pas, je connais la route à peu près par cœur.

— Je t'accompagne jusqu'au sentier, ainsi je serai sûre que tu ne te trompes pas de chemin, murmura Cécile. Il fait encore doux et je n'ai pas sommeil.

Elle marcha à ses côtés en silence jusqu'à l'ouverture de la palissade ; ils traversèrent la prairie dégagée et s'arrêtèrent près des arbres.

— Un de ces jours, murmura-t-elle, comme si elle avait suivi chacune de ses pensées, tu emmèneras la petite avec toi. Evidemment, c'est normal, mais on t'en voudra un peu. Remarque, on n'est pas si loin, tu pourras nous la confier de temps à autre, heureusement. Il vaudrait mieux ne pas la laisser trop souvent, Niall. Je me suis attachée à elle, et j'en suis contente, mais elle est à toi en définitive, à toi et à Avota. Ce serait préférable qu'elle le sache en grandissant, et qu'elle y trouve son avantage.

Niall se dressa aussitôt sur la défensive.

— Elle est encore jeune, j'ai peur de lui embrouiller les idées trop tôt.

— Elle est peut-être jeune, mais elle n'est pas sotte. Elle commence à demander pourquoi tu t'en vas toujours et comment tu vis, tout seul, qui s'occupe de ton linge et de ta cuisine. Tu devrais la prendre quelque temps, lui montrer où tu habites, lui parler de ton travail. Elle a vraiment envie de savoir. Elle boira tes paroles. Elle adore jouer avec ses cousins, mais ça ne l'enchante pas de te partager avec eux. Tu verras, c'est déjà une petite femme, affirma Cécile, très convaincue. Mais si tu veux vraiment lui offrir un cadeau royal, trouve-lui une seconde maman qu'elle n'aura pas à partager avec d'autres enfants. Une maman à elle. Elle est assez fine pour savoir que je ne suis pas sa mère malgré toute l'affection que j'ai pour elle.

Niall lui souhaita le bonsoir sans le moindre commentaire et s'éloigna à grands pas à travers les arbres. Elle le connaissait et s'attendait à cette réaction. Quand il eut disparu, elle retourna chez elle, consciente d'avoir été écoutée avec attention, hésitant sur la conduite à adopter. La fille d'un artisan de la ville, respecté de tous, qui aurait des biens en héritage et aurait appris les bonnes manières était nécessairement très différente de celle d'un intendant à la campagne. Elle ne se marierait pas parmi les mêmes groupes sociaux, elle n'aurait pas le même genre de maison à tenir ni à satisfaire aux mêmes

236

obligations. Une enfant déjà mûre malgré son jeune âge pourrait commencer à croire qu'un père qui la confie trop longtemps à des étrangers ne tient pas vraiment à l'avoir près de lui, et qu'il ne lui rend visite que par devoir. Elle n'était cependant pas bien grande, pas assez pour vivre dans une demeure dépourvue de femme qui s'occuperait d'elle. Ah si seulement il y avait un espoir avec cette veuve dont il se refusait à parler! Ou encore, à tout prendre, avec n'importe quelle femme de qualité, de cœur et de tête, dotée d'assez de patience pour deux!

Niall suivait le sentier étroit dans la nuit vert sombre pleine d'odeurs entêtantes, entre les arbres aux lourdes ramures. La voix de sa sœur lui résonnait encore à l'oreille. Les bois étaient épais, touffus en ces lieux, le sol y était en permanence à l'ombre, de sorte que l'herbe y poussait difficilement, et l'entrelacs des buissons cachait le ciel. Parfois on émergeait à l'air libre pendant un court moment sur un terrain à peu près dégagé de clairières et de landes, car toute cette partie du pays bordait le nord de la Forêt Longue où les hommes s'étaient taillé des petits essarts à la cognée, légalement ou non, afin que les cochons puissent se nourrir de glands et de faines. Il ne rencontrerait pas plus de deux tenures précaires avant d'arriver au hameau de Brace-sur-Méole, à mi-chemin en gros.

Là-dessus il lui vint à l'esprit que cela serait peut-être plus court de se diriger vers l'est et de rejoindre la grand-route, si l'on pouvait l'appeler ainsi, bien avant le village plutôt que de poursuivre par l'allée forestière. Chacune des variantes du trajet lui était familière. Le passage auquel il pensait croisait en diagonale celui sur lequel il marchait, et à leur point de jonction il y avait un coin dégagé, le seul qui existât dans cette région de forêt dense. Il s'y reposa un instant, sans avoir encore décidé, et resta à savourer le calme impressionnant de la nuit. Soudain, le silence fut rompu par des sons légers et persistants. En l'absence de vent, chaque bruit, même feutré, prenait une ampleur saisissante. D'instinct Niall se jeta à couvert, s'enfonçant profondément parmi les arbres où il s'immobilisa, la tête levée, l'oreille dressée, tentant de déchiffrer ces signaux.

Il y a toujours des créatures nocturnes qui vaquent dans le noir, mais elles restent au ras du sol et cessent de bouger dès qu'elles flairent un humain, car tous sont des ennemis. Mais cela continuait sans faiblir et s'approchait petit à petit. Le claquement sourd, étouffé, des sabots d'un cheval dans l'herbe compacte se rapprochait à vive allure, en provenance de la route, et, sur son passage, l'animal froissait branches basses et brindilles. La floraison de l'été avait atteint son point culminant; sur les troncs et les rameaux se développaient de jeunes pousses tendres, juste assez haut pour empiéter sur le chemin de leurs tendres extrémités.

Pourquoi diable un cavalier se promenait-il dans les parages à pareille heure, à cette vitesse, en s'arrangeant pour qu'on l'entende le moins possible? Niall ne bougea pas de sa place, dissimulé parmi les frondaisons, mais, en regardant vers la clairière, le contraste était tel que la lumière permettait de distinguer des ombres et des nuances de noir et de gris. Pas de lune, un léger voile de nuages entre les étoiles et la terre, bref une nuit propice aux entreprises sinistres. Même si des hors-la-loi s'aventuraient rarement à moins de dix miles de Shrewsbury et qu'au pis on pouvait tomber sur un braconnier, mieux valait se montrer prudent. Et puis, depuis quand les braconniers opéraient-ils à cheval?

Entre les noires murailles de la forêt, sur le sentier de droite, quelque chose de pâle et d'indéterminé apparut. Il y eut un murmure dans le feuillage vert tendre, comme Niall devinait le bras d'un cavalier et le flanc d'un cheval blanc, gris pommelé ou rouan très clair, car sa robe laissait une traînée lumineuse dans toute la clairière. La silhouette de l'homme que l'animal avait sur le dos donnait à première vue une impression d'épaisseur monstrueuse jusqu'à ce que le sol inégal provoquât un mouvement de balancier révélant que la monture portait deux personnes et non une seule. Le cavalier tenait en effet une femme en croupe. Cette masse d'ombres, dont le détail manquait de précision, se scinda manifestement en deux êtres toujours impossibles à identifier, cependant que le groupe de centaures passait, traversait la sente et continuait sa prudente chevauchée vers le sud-ouest.

Niall perçut l'ondulation d'une longue jupe, il y avait même de mystérieux points blêmes dans l'obscurité mouvante, une main accrochée à la ceinture du cavalier, un visage ovale levé vers le ciel, libéré du capuchon qui avait glissé sur les épaules de la femme.

Tout cela demeurait confus, et cependant il l'avait reconnue. C'était peut-être son port de tête, sa lourde chevelure, dont la forme sombre se dessinait sur la voûte céleste très noire, ou sa façon de se tenir, la grâce de son corps, à moins qu'une corde trop tendue au plus profond de lui-même ne vibrât malgré lui quand elle se trouvait dans les parages. Elle était la seule femme au monde dont il décelât la présence, même dans le noir, sans presque s'en rendre compte.

Mais qu'est-ce que Judith Perle fabriquait ici, en pleine nuit, trois jours après sa disparition, et pourquoi allait-elle vers le sud-ouest derrière un cavalier qu'elle accompagnait de son plein gré, s'il fallait se fier aux apparences?

Il demeura là si longtemps, immobile et silencieux, que les petites créatures de l'ombre semblaient avoir cessé de le craindre, à moins qu'elles ne l'aient oublié. Quelque part, de l'autre côté de la clairière, là où continuait le chemin par où il était venu, il y eut un mouvement hâtif provenant d'un taillis touffu, puis le couple prit sans bruit vers l'ouest pour se mettre à l'abri. Niall se secoua et se remit en route, continuant à suivre les sabots dont l'herbe étouffait l'écho jusqu'à ce qu'ils deviennent inaudibles. Il n'arrivait ni à croire ni à donner un sens à ce qu'il venait de voir. C'était impossible; il avait dû se tromper forcément. Où allait-elle? Avec qui? Dans quel but? Cela restait un mystère, qui la concernait elle, et Niall avait en elle une telle confiance que même cette équipée nocturne ne le troublait pas. Sa seule certitude était de l'avoir retrouvée par la grâce de Dieu. Il ne devait plus la perdre, tout le reste était secondaire. Si elle n'avait pas besoin de lui, et ne courait aucun danger, ainsi soit-il, il la laisserait tranquille. Mais il lui parut indispensable de se tenir prêt à intervenir, jusqu'à ce que tout soit terminé et qu'elle puisse de nouveau se montrer sans crainte. Il était persuadé que s'il la perdait maintenant, ce serait pour toujours.

Il sortit du couvert et s'engagea à son tour sur le sentier. La piste était facile à suivre. La forêt devenait plus épaisse, ce qui obligeait le cheval à demeurer sur le sentier d'autant plus que dans un tel environnement il ne pouvait qu'avancer au pas. Un piéton aurait pu les dépasser pourvu qu'il connût le bois aussi à fond que Niall. Mais cela n'était pas nécessaire. Il se contenta de s'en remettre à son ouïe et de se rapprocher au maximum pour pouvoir agir au moindre danger. La région lui était un peu moins familière que les chemins menant à Pulley qu'il avait laissé à main gauche, mais elle n'était guère différente. Il n'eut aucune peine à se glisser parmi les arbres sans emprunter l'allée, plus rapidement que le cavalier. Il ne tarda pas à percevoir le claquement léger, régulier des sabots et le tintement de la bride quand le cheval encensait pour un oui pour un non. De temps à autre un son curieux résonnait dans les taillis voisins. Deux fois Niall entendit un bref appel de clochettes, comme une invite à la prière. Cela le rassura; il n'était pas loin et il serait sur place en un instant si nécessaire.

Ils marchaient toujours plein sud-ouest, s'enfonçant plus encore dans les recoins secrets de la Forêt Longue, où rares étaient les clairières, seules émergeaient quelques étendues de landes où affleuraient des roches. Ils avaient sûrement déjà parcouru un mile, et cependant la monture allait toujours bon train, conservant le même pas précautionneux. Le ciel s'était assombri, la couverture de nuages devenait plus épaisse. Levant la tête, Niall avait du mal à percevoir le dessin des branches les plus hautes sur la voûte céleste. Désormais il devait se guider au toucher tout en restant derrière le cheval. Une fois il se rendit compte qu'il était parvenu à sa hauteur et qu'on bougeait le long du sentier, à droite, mais c'était plus affaire de sensation que de vision claire. Il ralentit pour que la vague lueur pâle le dépassât, avant de reprendre sa patiente filature avec une attention accrue.

Il ne savait plus du tout quand avait débuté cet étrange pèlerinage sylvestre, depuis une heure peut-être, et si ceux qui le précédaient venaient de la ville, ils étaient donc partis deux heures auparavant. Quant à leur destination, elle lui échappait complètement. Il ne connaissait guère cette partie des bois, à part peut-être un essart solitaire péniblement arraché récemment à la nature sauvage. Ils devaient se trouver relativement près de la source de la Méole et chevaucher vers l'amont. Un peu plus haut, à gauche, descendaient deux ou trois de ses affluents qui traversaient la sente sans représenter d'obstacles sérieux et qu'on pouvait franchir aisément, du moins en été. Les petits serpents d'eau produisaient un sifflement à peine perceptible parmi les pierres. Niall décréta à vue de nez qu'ils avaient fait dans les trois miles depuis qu'il les accompagnait.

Quelque part, pas très loin à droite, le feuillage bruissait par intermittence. La bête à présent marchait moins régulièrement, elle piaffa et ralentit sur le sol plus dur, là où les pierres affleuraient à la surface. Le cheval avança plus lentement encore en regagnant l'herbe, puis s'arrêta. Niall réduisit la distance à pas de loup, cherchant son chemin d'arbre en arbre, écartant les branches qui le gênaient aussi doucement que possible. A en juger par l'obscurité qui devenait moins dense, le chemin dont il s'approchait s'était élargi et formait une allée gazonnée où les nuages se laissaient au moins deviner. Puis, à travers la dentelle des feuilles, il distingua la masse très claire du cheval à l'arrêt. Pour la première fois il entendit une voix — un homme — dont le murmure sifflant griffait à peine le silence.

— Je préférerais vous conduire jusqu'à la porte.

Il avait déjà sauté à terre. Dans ce coin reculé où la pénombre était moins impénétrable, il y eut un mouvement au niveau du sol, une ombre plus épaisse voila la robe du cheval en se déplaçant comme des bancs de nuages cachent la lune.

La voix de Judith s'éleva, nette et froide.

— Pas question. Ce n'est pas ce dont nous avions convenu. Je n'y tiens pas du tout.

L'animal remua, puis l'homme, plus discrètement, et Niall comprit que celui-ci aidait la cavalière à descendre. Il protesta sans conviction.

— Je ne puis vous laisser partir seule.

— C'est à deux pas, répliqua-t-elle. Je n'ai rien à craindre.

Il accepta son renvoi sans protester car de nouveau sa monture se déplaça et piétina l'herbe, un étrier tinta une seconde. Il ajouta quelque chose qui se perdit quand l'animal pivota afin qu'ils ne reviennent pas par le même itinéraire, mais par la gauche, à flanc de colline d'où, par un raccourci, il couperait les hautes terres sauvages pour prendre au plus court. C'était la rapidité qui maintenant s'imposait et non la discrétion. Mais après s'être hâtivement éloigné, le cavalier s'arrêta et revint lui proposer ce qu'elle avait déjà refusé, tout en sachant qu'il ne la fléchirait pas.

— Je n'aime pas vous laisser ainsi...

— Je connais le chemin, répondit-elle simplement. Allez, partez avant le jour.

Sur ce il tourna bride à nouveau et s'engagea sur une pente où il pourrait aller meilleur train. Rapidement le bruit des sabots qui s'éloignaient trahit un trot prudent. L'homme ne pensait plus qu'à une chose, filer à toutes jambes maintenant qu'il avait rempli sa part du contrat. Judith était toujours là où il l'avait laissée, invisible à l'orée des arbres, mais Niall l'entendrait quand elle partirait. Elle ne pouvait plus se perdre et elle n'avait pas peur. Niall se disposa à la suivre où qu'elle aille. Il resterait derrière elle jusqu'à ce qu'elle parvienne au havre qu'elle avait choisi, peu importait l'endroit dont il s'agissait.

Son compagnon avait filé. Elle attendit que le silence revînt avant de se mettre en route. Il devina qu'elle tournait à droite. Elle dut quitter la clarté réduite de l'allée dégagée et s'engager parmi les épaisses ramures luxuriantes car une branche craqua sous son pied. Niall marchait à sa suite. Ils étaient sur un passage assez utilisé qui descendait vers un affluent un peu plus important de la Méole dont le murmure chantonnait dans le lointain, en contrebas.

Il s'était peut-être avancé d'une vingtaine de pas et elle le précédait d'autant quand les buissons remuèrent bruyamment à droite, depuis le couvert touffu. Judith poussa un cri bref, sauvage, où se mêlaient la surprise et la terreur. Niall se jeta fougueusement en avant et sentit plus qu'il ne vit des silhouettes confuses en proie à une lutte quasi silencieuse. Il étreignit gauchement deux corps à l'aveuglette, s'efforçant de les séparer. Les longs cheveux dépeignés de Judith se répandaient sur son visage ; il l'empoigna par la taille pour la placer derrière lui, loin du danger. Il devina qu'un bras essayait de le contourner pour la frapper et un étrange effet de lumière projeta une brève lueur bleue sur la lame d'un couteau.

Niall saisit le bras qui s'abaissait et le tordit en l'écartant, puis il passa un genou derrière celui de son adversaire avec l'instinct d'un lutteur. Ils tombèrent lourdement sur le sol où ils roulèrent, enlacés, écrasant des brindilles dans l'obscurité totale, leurs épaules meurtries, se heurtant aux troncs des arbres. Ils se battaient de toutes leurs forces, l'un afin de libérer son bras, l'autre pour garder l'arme à distance ou s'en emparer. Prisonniers de l'étreinte, leurs souffles se mêlaient, ils haletaient face à face, dans l'incapacité de se voir. L'attaquant était solide, musclé, déterminé, et il connaissait un certain nombre de coups vicieux, n'hésitant pas à se servir libéralement de sa tête, ses dents ou ses genoux. Mais il n'arriva ni à se dégager ni à se remettre debout. Niall le tenait par le poignet droit et de son autre bras il entoura le corps de l'inconnu, paralysant les mouvements au-dessus de lui, si bien que son antagoniste ne put que lui griffer sauvagement le visage et le cou. Il se souleva avec un grognement et ils tournoyèrent sur le sol. Il voulait projeter violemment Niall contre un arbre où il s'assommerait à demi, se libérer et retrouver l'usage de son arme. Le résultat dépassa ses espérances ; son bras armé, affaibli par les crampes dues à la poigne de l'orfèvre, prit brutalement contact avec l'écorce, lui causant une douleur intolérable du coude à la main. Ses doigts s'ouvrirent et le poignard vola dans l'herbe où il se perdit.

Tout étourdi, Niall s'agenouilla. Son adversaire haletait et gémissait, cherchant son arme à tâtons et jurant à mi-voix, incapable de la retrouver. Quand Niall se jeta sur lui, il sauta sur ses pieds et s'enfuit à travers les buissons d'où il avait surgi. Le fouettement des branches et le froissement des feuilles permirent de suivre sa course un instant dans les profondeurs des bois, puis tout s'estompa. Il avait disparu.

Niall se redressa péniblement, secoua sa tête bourdonnante et choisit à l'aveuglette un tronc auquel s'appuyer. Il ne se repérait plus très bien et ne savait pas où était Judith jusqu'à ce qu'une voix douce, émerveillée, murmurât :

— Je suis là !

Il distingua vaguement une main blanche qui se tendait vers lui, froide mais ferme, sur laquelle il referma la sienne.

L'avait-elle reconnu ? Une chose était sûre, elle ne le craignait pas. Elle lui demanda s'il était blessé. Ils se rapprochèrent à pas menus, pleins d'étonnement et de respect, attirés l'un vers l'autre par un mouvement de sympathie.

— Et vous ? Il vous a attaquée avant que j'aie pu l'atteindre. Vous a-t-il touchée ?

— Ma manche est fendue, répondit-elle, portant la main à son épaule gauche. Une simple égratignure. Non, je n'ai rien, je peux marcher. Mais vous...

Elle posa les mains sur sa poitrine, le palpa, inquiète, des épaules aux avant-bras et constata qu'il saignait.

— Vous êtes blessé... votre bras...

— Bah! ce n'est rien. On s'est débarrassés de lui à moindres frais.

— Il voulait nous tuer, déclara gravement Judith. J'ignorais que des bandits puissent rôder si près de la ville. Des voyageurs risqueraient d'être assassinés simplement pour leurs vêtements, à plus forte raison s'ils transportent de l'argent.

A ce moment seulement elle commença à trembler sous le choc. Il la prit contre lui pour la réchauffer. Alors, elle le reconnut. Déjà sa voix éveillait quelque chose en elle. Quand il l'étreignit, elle ne douta plus.

— Maître Niall? Mais par quel miracle êtes-vous là? Quelle chance pour moi! Mais comment?...

— C'est sans importance pour l'instant, répondit-il. D'abord laissez-moi vous conduire là où vous aviez l'intention d'aller. Avec des brigands de cette espèce au beau milieu de la forêt, tout danger n'est peut-être pas écarté. Par-dessus le marché, vous risquez d'attraper froid. C'est loin?

— Non, non. C'est au bord du ruisseau, à moins d'un demi-mile. La présence de bandits par ici est d'autant plus étrange. Je vais chez les bénédictines du gué de Godric.

Il ne l'interrogea pas davantage. Ses projets ne le regardaient pas. Il veillerait simplement à ce qu'on ne l'agresse plus. Il la tenait encore par la taille quand ils descendirent la pente menant à une allée plus large où une lumière à peine visible, vaporeuse, les enveloppa. Cachée derrière les arbres, la lune se levait enfin. Quelque part devant eux il y avait la lueur fuyante de l'eau dont les reflets mystérieux, frémissants, apparaissaient et disparaissaient tour à tour ; puis sortant de la brume, de leur côté, apparurent les noires arêtes vives des toits et un petit clocher, seule verticale dans le paysage.

— C'est là ? s'enquit Niall qui avait entendu parler de l'ermitage sans savoir où il se trouvait ni s'en être jamais approché.

— Oui.

— Je vais vous conduire jusqu'à la porte et attendre que vous soyez entrée.

— Non, il faut que vous veniez avec moi. Vous ne devez pas repartir seul. Demain, quand le jour sera levé, nous serons en sécurité !

— Je n'ai pas ma place là, objecta-t-il, dubitatif.

— Sœur Magdeleine vous en dénichera une. Ne me laissez pas maintenant, le supplia-t-elle, passionnée.

Ils atteignirent ensemble l'imposante palissade de bois qui entourait les cellules et les jardins. Même si les hautes terres boisées leur dissimulaient encore la lune, son reflet grandissait d'instant en instant ; les bâtiments, les arbres, les fourrés, la courbe du cours d'eau, les parcelles de prairie le long de ses berges, tout émergeait lentement de la nuit d'un noir d'ébène en un subtil camaïeu de gris qu'argenterait bientôt l'astre ascendant. Niall hésita à saisir la corde de la cloche, devant le portail fermé, tant il lui semblait criminel de troubler le silence. Quand il se força à la tirer, le tintement argentin se répandit sur la rivière qui en renvoya l'écho jusque parmi les frondaisons de la rive opposée. Mais l'attente fut de courte durée avant que la sœur tourière qui marmonnait tout en étouffant un bâillement vînt ouvrir la grille et les regarder sous le nez.

— Qui est là? Vous êtes perdus? En quête d'un logement pour la nuit?

Elle ne voyait qu'une femme et un homme qu'elle ne connaissait pas, errant très tard dans la forêt. Elle pensa, ce qui était vrai, avoir affaire à d'honnêtes voyageurs qui s'étaient égarés avant d'aboutir dans ces solitudes où un abri s'avérait indispensable.

— Je me nomme Judith Perle. Sœur Magdeleine me connaît. Elle m'a offert naguère de m'accueillir chez vous si c'était nécessaire. Eh bien, ma sœur, ça l'est aujourd'hui. J'ai avec moi un excellent ami qui m'a sauvé la vie et conduite chez vous en toute sécurité. Je vous serais reconnaissante de l'héberger aussi jusqu'à demain.

— Je vais appeler sœur Magdeleine, grommela la religieuse, on n'est jamais trop prudent.

Elle s'exécuta aussitôt, laissant la grille ouverte. Quelques minutes plus tard les deux moniales étaient de retour. Les yeux bruns de Magdeleine, pétillants de vivacité, témoignaient d'un vif intérêt. Même à cette heure, elle était parfaitement réveillée.

— Entrez donc! s'exclama-t-elle avec allégresse. C'est une amie, et les amis de nos amis sont les bienvenus.

Dans le minuscule parloir, très simplement, sans questions inutiles, sœur Magdeleine commença par le commencement : elle leur prépara un solide vin chaud pour dissiper les effets du froid et du choc, remonta la manche ensanglantée de Niall, baigna et pansa la longue estafilade qu'il avait à l'avant-bras, mit un baume sur l'écorchure de Judith et reprisa vivement la manche et le corselet déchirés de la jeune femme.

— C'est une réparation de fortune, s'excusa-t-elle. Tirer l'aiguille n'a jamais été mon fort. Mais ça tiendra jusqu'à votre retour.

Elle ramassa le bol d'eau rougie et le porta à l'office, les laissant pour la première fois en tête à tête, à la lueur de la bougie ; ils se regardèrent intensément, émerveillés l'un de l'autre.

— Vous ne m'avez toujours rien demandé, articula lentement Judith. Ni où j'étais pendant ces trois jours, ni comment j'ai fini par arriver ici de nuit, à cheval avec un homme. Ni comment j'ai disparu puis recouvré la liberté. Et moi qui vous dois tant, je ne vous ai pas encore remercié. Mais croyez-moi, c'est du fond du cœur ! Sans vous, on m'aurait retrouvée morte dans les bois. Il en voulait à ma vie !

— Oh ! je sais bien que vous ne nous auriez jamais laissés volontairement trembler pour votre sécurité pendant trois jours, répliqua Niall. Je me doute aussi que si vous choisissez maintenant d'épargner celui qui vous a mise dans une situation aussi pénible, c'est uniquement dû à votre bon cœur et à votre générosité. Je n'ai nul besoin de détails supplémentaires.

— Si je tiens à ce que tout cela soit oublié, c'est aussi pour moi, avoua-t-elle tristement. Je ne vois pas ce que je gagnerais à le livrer à la justice, mais je vois ce que j'y perdrais. Il n'est pas foncièrement méchant, seulement présomptueux, vain et pas très malin. Je n'ai subi aucune violence, il ne m'a pas lésée gravement. Mieux vaut enterrer tout cela. Vous ne l'avez pas reconnu ? demanda-t-elle, le fixant attentivement de ses grands yeux gris un peu cernés par la fatigue.

— L'homme qui se tenait à cheval ? Non, je ne sais pas qui c'était. Mais, de toute manière, je me serais conformé à vos désirs. Sauf si c'est lui qui est revenu s'assurer de votre silence. Parce que lui, oui, aucun doute, il voulait vous tuer.

— Non, ce n'était pas lui. Il était parti, vous l'avez entendu. En outre, ça ne lui ressemblerait pas. Nous nous étions mis d'accord, il savait que je tiendrais parole. Non, je suis sûrement tombée sur un misérable qui détrousse les passants. Il faudra prévenir Hugh Beringar quand on rentrera. L'endroit est très à l'écart. Il serait préférable de l'informer qu'il y a des hors-la-loi dans les parages.

Elle avait laissé pendre ses longs cheveux dénoués sur ses épaules, prête à aller dormir, car elle manquait depuis longtemps de sommeil. Ses paupières hautes et longues, translucides, veinées comme des iris, tombaient lourdement sur ses yeux gris. Le reflet de la bougie sur son visage pâle et fatigué donnait le sentiment qu'il était taillé dans une perle. Niall la contempla, le cœur serré par l'émotion.

— Par quel hasard vous êtes vous trouvé là où votre présence était tellement indispensable ? s'étonna-t-elle. J'ai à peine eu le temps de crier que vous interveniez, tel l'instrument de la grâce.

— Je rentrais de Pulley, expliqua Niall, troublé par l'intensité soudaine, pleine de tendresse de cette voix qui le rendit muet un instant, et j'ai vu et entendu, non, j'ai senti tout au fond de moi-même que c'était vous. Je ne voulais pas vous importuner, seulement m'assurer que vous arriveriez à bon port.

— Vous m'aviez reconnue ? s'exclama-t-elle, stupéfaite.

— Oui. Oui, je vous ai reconnue.

— Mais pas celui qui m'accompagnait ?

— Lui, non.

Retrouvant son énergie, elle se décida soudain.

— Il me paraît que vous, tout spécialement, pouvez, non, devez être mis au courant. Plus j'y pense, plus je tiens à tout vous révéler à vous et à sœur Magdeleine, même ce que les autres ne doivent pas savoir, même ce que j'ai promis de taire.

Elle était arrivée à la fin de son récit, ce qui ne lui avait pris que peu de temps.

— Ainsi, vous voyez, ma sœur, comme je me sers de vous, sans rougir en venant ici. J'ai été perdue puis retrouvée, on m'a cherchée pendant trois jours, et demain il faut que je rentre affronter ceux qui ont remué ciel et terre pour moi et que je leur explique que j'étais avec vous, que je n'ai pas pu résister à tous les ennuis qui se sont abattus sur moi, bref que je me suis réfugiée auprès de vous sans prévenir personne, en réponse à votre proposition. Ce qui ne sera pas tout à fait un mensonge, même si c'est seulement pour une nuit déjà fort écourtée. Mais j'ai honte de vous utiliser de cette manière. Et pourtant, il faut que je reparte demain. Ou plus exactement aujourd'hui, mais je n'ai plus les idées très claires. Je ne peux pas laisser tout le monde dans le doute et l'anxiété maintenant que je suis de nouveau libre. Or Dieu sait que je resterais volontiers parmi vous.

— Il me semble que vous poussez le scrupule un peu loin, objecta sœur Magdeleine avec bon sens. Si cela vous met à l'abri, vous et ce jeune crétin auquel vous avez déjà pardonné et que cela ferme la bouche aux mauvaises langues, je considère ce moyen comme aussi efficace qu'un autre. Quant à votre besoin de calme et de réflexion, parlez-en sans vergogne, c'est la pure vérité. J'ajoute que vous pouvez revenir séjourner parmi nous le temps qu'il vous plaira. Je vous le répète. Mais vous avez raison, il faut apaiser les esprits et arrêter les recherches. Plus tard, quand vous vous serez reposée, vous retournerez soutenir le regard de tous et vous leur direz que si vous êtes venue là, c'est que le monde et la stupidité des hommes — exception faite de notre ami ici présent — vous avaient acculée au désespoir. Mais rentrer à pied par la petite porte, c'est hors de question. Je ne laisserai jamais une femme qui comptait trouver asile chez nous repartir en pareil équipage. On va vous donner la mule de mère Mariana qui, la pauvre, est clouée au lit et ne la montera jamais plus. Tiens, je partirai avec vous, cela donnera du corps et de la vraisemblance à votre histoire. Je profiterai de l'occasion pour rendre visite au père abbé.

— Et si on demande depuis combien de temps je suis ici ?

— Avec moi à côté de vous ? Je voudrais bien voir ça ! Et s'ils osent, on ne répondra pas. Les questions, chacun en fait ce qu'il veut, et personne ne s'en porte plus mal.

Là-dessus, sœur Magdeleine se leva avec autorité pour les conduire aux lits qu'on leur avait préparés.

CHAPITRE DOUZE

Les moines venaient à peine de sortir de l'église après la grand-messe et le soleil était déjà haut dans un ciel bleu pâle quand la petite troupe conduite par sœur Magdeleine franchit les portes de l'abbaye. C'était la veille de la translation de sainte Winifred, mais rien, ni morts violentes, disparitions et autres catastrophes, ne saurait bouleverser le rythme propre à l'église, ni semer le désordre. Cette année il n'y aurait pas de procession solennelle à partir de Saint-Gilles, à la périphérie de la ville, pour apporter de nouveau les reliques là où elles reposaient, sous l'autel de Winifred, mais il y aurait des messes commémoratives et pendant toute la journée les pèlerins auraient accès à sa châsse pour lui demander tout particulièrement d'intercéder en leur faveur. Il y en avait un peu moins que l'an passé ; l'hôtellerie était toutefois déjà bien remplie, et frère Denis très occupé par les provisions à prévoir pour les visiteurs, tout comme frère Anselme absorbé par la musique nouvelle qu'il avait préparée en l'honneur de la sainte. Les novices et les enfants ne se rendaient pas vraiment compte de l'effet des récents événements en ville et sur la Première Enceinte. Les plus jeunes des religieux, même ceux qui avaient été les plus proches de frère Eluric et ressenti le plus douloureusement sa mort, l'avaient presque oublié tant ils se réjouissaient de voir approcher la fête qui leur procurerait victuailles et privilèges supplémentaires.

Ce n'était pas le cas de frère Cadfael. Il avait beau se donner tout le mal possible pour se concentrer sur l'office divin, à chaque moment il revenait à Judith Perle. Où diable était-elle ? Après tant d'événements sinistres, la mort de Bertred pouvait-elle n'être qu'un accident fortuit mais malheureux, ou là encore fallait-il voir un meurtre ? Et si oui pourquoi et qui l'avait commis ? Il semblait n'y avoir aucun doute sur la culpabilité de Bertred quant à l'assassinat de frère Eluric, mais tout tendait à prouver que, loin d'être le ravisseur de sa maîtresse, il avait luimême enquêté sur ce méfait, qu'il comptait la délivrer et exploiter cet avantage jusqu'au bout. Force était d'admettre aussi que le veilleur avait raconté tout ce qu'il savait. En tombant du rebord de la fenêtre, Bertred avait réveillé le mâtin qui l'avait pourchassé jusqu'au bord de l'eau, et le coup qu'il avait pris sur la tête avait plutôt accéléré sa fuite. Et il n'y avait eu qu'un seul coup, mais quand on avait sorti le corps de la rivière, il portait sur la tempe une seconde blessure, assez sérieuse, pourtant ni l'une ni l'autre n'était mortelle. Et si quelqu'un l'avait un peu aidé à se noyer en le frappant une seconde fois, après que le gardien avait rappelé son chien ?

S'il fallait retenir cette hypothèse, ce ne pouvait être que le ravisseur, inquiet de l'intervention de Bertred, soucieux de couvrir les traces de son crime.

Et Vivian Hynde qui n'était toujours pas rentré et qui s'attardait obstinément à Forton, avec son père et les troupeaux. Oui, enfin, à ce qu'on prétendait ! Et plus pour longtemps ! S'il ne se jetait pas dans les bras de la garde aux portes de la ville avant midi, Hugh l'enverrait chercher manu militari.

Quand il sortit dans le soleil du matin, Cadfael en était arrivé à ce point de ses réflexions ; à ce moment il aperçut sœur Magdeleine chevauchant la vieille mule à la robe sombre, qui marchait, comme toujours, de son pas tranquille et décidé. La cavalière, pour sa part, montrait la même compétence dépourvue de précipitation que dans toutes ses activités, sans se donner de grands airs. En entrant, elle jeta un coup d'œil lucide à la ronde. Tout près de son étrier marchait le meunier de Gué, son allié inflexiblement fidèle. Sœur Magdeleine avait toujours un homme à portée de main pour la servir en tout.

Mais il y avait une autre mule, plus grande, toute blanche, qui suivait. Lorsqu'elle sortit de la voûte du portail tout le monde put voir qu'une femme la montait, mais pas une bénédictine, une

259

femme vêtue d'une robe vert foncé, avec un foulard sur les cheveux. Une femme grande et mince, qui se tenait très droite, gracieuse, dont l'allure, le port de tête étaient remarquables de dignité, et qui leur parut, soudain, étonnamment familière.

Cadfael s'arrêta si brusquement que le religieux juste derrière lui le cogna et trébucha. L'abbé, qui marchait en tête, s'immobilisa aussi, bouche bée, les yeux ronds de stupéfaction.

Ainsi elle était revenue de son plein gré, au moment qu'elle avait choisi, libre, le visage calme, à peine changée, pour les confondre tous. Judith Perle tira sur les rênes de sa mule et s'arrêta à côté de celle de sœur Magdeleine. Elle était plus pâle que dans le souvenir de Cadfael. De par sa nature, sa peau avait la clarté translucide de la nacre à laquelle s'ajoutait aujourd'hui une blancheur mate. Elle devait manquer de sommeil car ses paupières étaient un peu gonflées, d'un bleu très clair, comme la neige. Elle était calme et sereine mais sans joie. Très maîtresse d'elle-même, elle dévisagea tous ceux qui posaient sur elle un regard stupéfait et interrogateur sans baisser le sien.

John Miller s'approcha pour l'aider à descendre. Elle lui mit les mains sur les épaules et posa le pied sur les pavés de la grande cour avec une légèreté qui ne dissimulait pas entièrement sa lassitude. L'abbé Radulphe s'était repris. Il se porta à sa rencontre cependant qu'elle s'avançait vers lui, ployait le genou et s'inclinait pour baiser la main qu'il lui tendait.

— Ma fille, s'écria Radulphe, tout ému, tout heureux, comme je me réjouis de vous voir ici saine et sauve! Nous nous sommes beaucoup inquiétés pour vous.

— C'est ce que j'ai appris, père, répondit-elle d'une voix basse, et je me sens fautive. Dieu sait que je n'ai jamais voulu causer de souci à personne, je regrette aussi profondément d'avoir provoqué de telles alarmes chez vous, chez le seigneur shérif, chez tous ces braves gens et tout cela par ma faute. Je réparerai dans la mesure du possible.

— Mon enfant, nous ne demandions qu'à nous donner de la peine, ne vous excusez pas. Vous êtes de nouveau parmi nous, en bonne santé, c'est ce qui compte. Mais que signifie tout cela? Où avez-vous passé tout ce temps?

Hésitante, elle retint son souffle un instant avant de répondre.

— Vous voyez qu'il ne m'est rien arrivé de fâcheux, père. C'est moi plutôt qui ai fui un fardeau que je n'arrivais plus à porter seule. Je vous prie de me pardonner de n'avoir parlé à personne, mais cela est venu d'un seul coup. J'avais besoin d'un endroit tranquille pour me reposer, de temps pour réfléchir, choses que sœur Magdeleine m'avait promises si jamais je voulais me retirer du monde pour un moment, jusqu'à ce que je me sente capable d'y revenir. Je suis allée à elle, et elle ne m'a pas abandonnée.

— Vous rentrez donc tout juste du gué de Godric? s'étonna Radulphe. Pendant toutes ces journées où nous vous avons crue perdue, vous étiez au calme là-bas ? Eh bien, j'en rends grâce à Dieu ! Et pas un écho de cette tourmente ne vous est parvenu au Gué ?

Sœur Magdeleine était descendue et s'était rapprochée sans hâte, lissant de ses belles mains potelées, un peu vieillies, les plis de sa robe froissée par la chevauchée. Elle se dépêcha d'intervenir.

— Rien de rien, père abbé ! Nous vivons complètement coupées du siècle, et la plupart du temps, on ne s'en trouve pas plus mal. Les nouvelles ne nous arrivent qu'avec retard. Depuis ma dernière visite ici, nous n'avons eu personne de Shrewsbury avant la nuit dernière, où il s'est trouvé quelqu'un de la Première Enceinte pour passer par là. J'ai donc reconduit Judith chez elle pour mettre fin à toutes ces supputations et ramener la paix dans les esprits.

— C'est aussi vrai pour le vôtre, j'espère, murmura l'abbé, étudiant de très près le visage pâle mais serein de la jeune femme, après tous les ennuis qui vous ont forcée à fuir. Trois jours, ça n'est pas long pour guérir un cœur angoissé.

Elle soutint son regard de ses grands yeux gris et eut un léger sourire.

— Je vous remercie, père, et j'en remercie Dieu : j'ai repris courage.

— Je suis certain, s'exclama chaleureusement l'abbé, que vous ne pouviez pas être en meilleures mains et je remercie également Dieu, car nos craintes se sont révélées vaines et tout est bien qui finit bien.

Dans le silence bref, profond, la colonne des moines qui s'était arrêtée derrière l'abbé s'ébranla discrètement et chacun s'efforça de voir celle que tous avaient crue perdue, sur laquelle il y avait eu des murmures assez peu charitables et qui était revenue sans tache, dans la compagnie indiscutable de la sous-prieure d'un couvent de bénédictines, ce qui mettait un terme à tous les commentaires ainsi qu'aux ragots et donnait à tous l'image d'une dignité inattaquable. Même le prieur Robert, dans sa surprise, s'était oublié au point de rester planté là, au lieu de disperser les religieux d'un geste autoritaire vers le cloître et leurs occupations normales.

— Vous ne voulez pas qu'on s'occupe de vos montures pendant que vous prendrez quelque rafraîchissement ? proposa l'abbé. Je vais dépêcher sur l'heure un messager au shérif pour l'informer de votre heureux retour. Il faudra que vous le voyiez le plus tôt possible pour lui expliquer votre absence, comme vous me l'avez expliquée à moi.

— J'y compte bien, père, répondit Judith, mais je dois d'abord rentrer chez moi. Ma tante, mon cousin et tous mes gens se rongent encore les sangs. Il faut tout de suite que j'aille me montrer afin de les rassurer. Je vais sur-le-champ envoyer quelqu'un auprès de Hugh Beringar, afin qu'il puisse venir me voir ou m'envoyer chercher quand il lui plaira. Mais nous ne pouvions pas entrer en ville avant de vous avoir rendu compte, à vous, de ce qui s'était passé.

— C'est très délicat de votre part et je vous en suis reconnaissant. Mais vous, ma sœur, je suppose que vous serez mon invitée pendant votre séjour parmi nous ?

— Aujourd'hui, je compte accompagner Judith pour m'assurer qu'elle rentrera dans sa famille sans dommage. Je lui servirai également d'avocat auprès du shérif si cela s'avère nécessaire. Les autorités, considérant le temps et les efforts gâchés, auront peut-être tendance à se montrer moins indulgentes que vous, père. Je passerai la nuit avec elle. Mais demain, j'espère que nous pourrons avoir un entretien. J'ai emporté la nappe d'autel à laquelle mère Mariana travaille depuis qu'elle est forcée de rester au lit. Elle est toujours aussi adroite de ses mains, je suis sûre que vous en serez content. On a soigneusement emballé cette œuvre d'art dans une de mes fontes et je préférerais ne pas tarder à la sortir. Si je pouvais vous emprunter frère Cadfael pour qu'il vienne avec nous en ville, je suis sûre que Hugh Beringar aimerait tenir conseil avec lui quand nous nous retrouverons, et après il pourrait vous rapporter la nappe en question.

L'abbé Radulphe commençait à la connaître assez pour savoir qu'elle ne formulait jamais de requête sans raison valable. Il accorda donc à Cadfael l'autorisation de s'absenter, aussi longtemps que ce serait nécessaire. Le moine sauta sur l'occasion.

— Avec votre permission, père, et si sœur Magdeleine est d'accord, je pourrais me rendre directement au château porter le message à Hugh Beringar après que nous aurons accompagné Mme Perle. Ses hommes continuent sûrement à battre la campagne. Plus tôt il les rappellera, mieux ce sera.

— Certes. Allez-y !

Il les reconduisit à l'endroit où les mules attendaient patiemment, sous la surveillance tranquille de John Miller. La procession des moines put enfin quitter le porche et gagner ses lieux de travail non sans quelques regards en arrière pour voir les deux femmes se mettre en selle et partir. Avant de se séparer, Radulphe prit Cadfael à part et lui souffla à l'oreille :

— Si les nouvelles ont tant traîné à parvenir au gué de Godric, il s'est peut-être encore passé d'autres choses ici dont elle ignore tout et qui ne sont pas agréables à entendre. Ce tisserand qui travaillait pour elle et qui est mort, pis, coupable...

— J'y avais pensé, répondit Cadfael sur le même ton. Elle sera informée avant de rentrer chez elle.

Dès qu'ils furent sur la route dégagée du pont, au rythme obstiné de la mule qui n'aimait pas être bousculée, Cadfael s'approcha de Judith.

— Vous êtes absente depuis trois jours, commença-t-il doucement. Dois-je vous rendre compte, avant que vous ne retrouviez les autres, de tout ce qui s'est produit pendant cette brève période ?

— C'est inutile. On s'en est déjà chargé.

— Peut-être incomplètement, car tout le monde n'est pas au courant de tout. Il y a eu un autre décès. Hier, dans l'après-midi, un corps a été rejeté sur le rivage de ce côté-ci du fleuve, après le bout de la Gaye. Un noyé — un de vos tisserands, le petit Bertred.

Elle retint brusquement, douloureusement son souffle. Il poursuivit d'une voix douce :

— Je préfère que vous le sachiez parce que quand vous rentrerez, vous vous apercevrez que tout est déjà prêt pour l'enterrement. Je ne pouvais vous laisser découvrir tout cela d'un coup, sans préparation.

— Bertred noyé ? balbutia-t-elle, sous le choc. Comment cela a-t-il pu arriver ? Il nage comme un poisson. Comment s'est-il noyé ?

Cadfael lui parla des blessures que le jeune mort avait à la tête. Il lui expliqua quand cela s'était passé et lui rapporta presque mot pour mot le témoignage du gardien de Fuller. Elle resta sur sa mule, silencieuse, glacée, l'écoutant sans réagir, sauf quand il mentionna l'heure où cela s'était passé et la petite pièce condamnée, toute poussiéreuse, derrière les balles de laine. Elle aurait du mal à garder le silence et à s'en tenir à sa version. Un deuxième mort, fauché à la fleur de l'âge, par une erreur fatale qu'elle avait commise, et il y en avait encore un troisième qu'elle serait incapable de sauver, maintenant qu'ils étaient si près de la vérité.

Ils arrivèrent à la porte et s'engagèrent sous la

266

voûte. La pente de la Wyle était raide et les mules ralentirent encore ; personne ne chercha à les pousser.

— Et ce n'est pas tout. Vous vous rappelez sans doute le matin où on a retrouvé frère Eluric, et le moulage que j'ai relevé d'une empreinte de botte sur le sol. Celles que nous avons retirées à Bertred quand nous l'avons ramené à l'abbaye, la gauche… correspond à la trace.

— Quoi ! s'exclama-t-elle, bouleversée, incrédule. C'est impossible ! Ce doit être une erreur épouvantable.

— Il n'y a pas d'erreur, ni de possibilité d'erreur. Tout concorde parfaitement.

— Mais pourquoi ? Enfin, quelle raison Bertred aurait-il eue de vouloir couper mon rosier ? Et pourquoi aurait-il poignardé ce jeune moine ?

Et d'une voix perdue, lointaine, presque pour elle, elle ajouta :

— Il ne m'a pas parlé de tout cela !

Cadfael se tint coi, mais elle savait qu'il avait entendu. Au bout d'un moment, elle rompit le silence.

— Je vais tout vous dire. Il vaudrait mieux se dépêcher. Il faut que je voie Hugh Beringar.

Elle donna un coup de bride et accéléra le long de la Grand-Rue. Des échoppes ouvertes, du seuil des boutiques, on commençait à la reconnaître et l'excitation montait, les voisins se poussaient du coude et bientôt, quand elle fut à deux pas de chez elle, on lui lança des salutations, mais elle les remarqua à peine. On n'allait pas tarder à se passer le mot que Judith Perle était de retour et qu'elle était en compagnie d'une respectable religieuse, alors qu'on avait évoqué un enlèvement scandaleux suivi d'un viol pour la contraindre à se marier.

Sœur Magdeleine ne la lâchait pas d'une semelle, pour que chacun se rendît bien compte qu'elles voyageaient ensemble. Depuis leur départ de l'abbaye, elle n'avait pas ouvert la bouche, mais elle était perspicace, dotée d'une vive intelligence et elle avait sûrement entendu la plupart de leurs propos. Le meunier les avait laissées prendre de l'avance, volontairement peut-être. Confiant dans la sagesse de sœur Magdeleine, la seule chose qui l'intéressait était de veiller à ce que personne ne l'empêche de parvenir à ses fins. La curiosité n'était pas son fort. Ce qu'il avait besoin de savoir, il l'apprendrait bien assez tôt. Il s'était rangé sous la bannière des bénédictines depuis si longtemps qu'il y avait des choses qu'il partageait avec elles sans recourir à la parole. Ils avaient parcouru toute la rue Maerdol et s'étaient arrêtés devant chez Judith. Cadfael aida Judith à mettre pied à terre car le passage de la façade à la cour, bien qu'assez large, était trop bas pour qu'on y entre à cheval. A peine était-elle descendue que le sellier de la boutique d'à côté passa la tête par la porte, ébahi, l'œil rond, et il rentra aussitôt pour transmettre la nouvelle à un client, à l'intérieur. Cadfael prit la mule blanche par la bride et suivit Judith dans le couloir sombre et jusque dans la cour. Depuis l'atelier à droite leur parvenaient le claquement régulier des métiers, et de la grande salle le bruit indistinct de voix étouffées. Les fileuses donnaient l'impression d'être abattues, décontenancées, et aucun chant ne s'élevait de la maison en deuil.

Branwen traversait la cour en direction de la porte de la grande salle. Elle se tourna en entendant des pas sur la terre battue du couloir et poussa un bref cri aigu, hésitant à se précipiter vers sa maîtresse, son visage reflétant la surprise et la joie, puis elle se ravisa, vola vers la maison et cria à Miles, à dame Agathe, à toute la maisonnée de venir vite voir qui était là. Miles sortit en trombe de la grande salle, son regard égaré s'alluma comme une lampe et il se jeta vers Judith pour la prendre dans ses bras.

— Judith... Judith, c'est toi ! Mais ma chérie, où étais-tu pendant tout ce temps ? Si tu savais le mal qu'on s'est donné pour te retrouver ! On a remué ciel et terre ! Mon Dieu, je commençais à croire que je ne te reverrais jamais ! Où donc as-tu été ? Qu'est-ce qui t'est arrivé ?

Il n'avait pas fini de s'exclamer que sa mère était là, en larmes, débordant de tendresse et remerciant Dieu de leur avoir rendu sa nièce saine et sauve. Judith se soumit patiemment à leurs effusions, et put éviter de répondre sous le flot des questions qu'on lui posait. Quand il fut tari, les fileuses se pressaient dans la cour, les tisserandes avaient déserté les métiers et une dizaine de voix se mêlaient qui auraient couvert la sienne, même si elle avait voulu parler. Un vent joyeux soufflait sur la maison ce matin avec une telle fougue que même l'arrivée de la mère de Bertred, venue elle aussi aux nouvelles, ne put l'apaiser.

— Je suis désolée, prononça Judith quand il y eut une accalmie dans la tempête, de vous avoir causé tant d'inquiétude, ce n'était pas du tout mon intention. Mais vous voyez maintenant que je vais très bien, vous pouvez donc être tous rassurés. Je ne disparaîtrai plus. Je suis allée au gué de Godric rendre visite à sœur Magdeleine, qui a eu la gentillesse de repartir avec moi. Tante Agathe, veux-tu préparer un lit pour notre invitée ? Sœur Magdeleine restera avec nous cette nuit.

Agathe dévisagea tour à tour sa nièce et la moniale, un doux sourire aux lèvres et dans les yeux une pénétrante lueur d'espoir. La jeune femme rentrait du couvent avec sa directrice de conscience, elle avait dû revenir à son projet initial et à la paix du renoncement. Pourquoi sinon aurait-elle couru se réfugier dans un couvent bénédictin ?

— Mais bien volontiers ! s'exclama Agathe, avec ferveur. Donnez-vous la peine d'entrer, ma sœur, je vais vous apporter du vin et des gâteaux d'avoine, car vous devez être fatiguée et affamée après cette longue chevauchée. Vous êtes ici chez vous, nous sommes tous vos débiteurs.

Elle les accueillait en se prenant incontestablement pour une châtelaine. En trois jours, songea Cadfael, elle s'est habituée à se considérer comme la maîtresse de maison, elle ne peut pas se débarrasser de cette attitude en un clin d'œil.

Judith allait les suivre quand Miles lui posa gravement la main sur le bras.

— Judith, lui souffla-t-il à l'oreille, plein de sollicitude, la religieuse t'a-t-elle arraché une quelconque promesse? Dis-moi, tu ne t'es pas laissé persuader de prendre le voile?

— Cela te gênerait tellement que je rentre dans les ordres? lui demanda-t-elle, l'observant avec indulgence.

— Non, si tu y tiens vraiment, mais... Pourquoi t'es-tu précipitée là-bas, à moins que... Alors tu as promis quelque chose ou non?

— Non, rassure-toi.

— Tu es quand même allée là-bas... soupira-t-il, haussant les épaules pour secouer sa solennité, enfin, c'est à toi de décider. Viens, entrons.

Il s'éloigna vivement d'elle pour demander à un des tisserands de s'occuper du meunier et des mules et de veiller à ce qu'ils ne manquent de rien, puis il renvoya gentiment les fileuses à leurs fuseaux.

— Entrez vous aussi, mon frère, et soyez le bienvenu. Alors on est au courant à l'abbaye? Du retour de Judith, bien entendu.

— Mais oui, répondit Cadfael, ils l'ont appris. Je suis ici pour remporter une nappe dont sœur Magdeleine s'est chargée et que nous destinons à la chapelle de Notre-Dame. Il faut aussi que j'aille au château pour l'affaire de Mme Perle.

Miles claqua des doigts et son visage s'allongea de nouveau.

— Mon Dieu, c'est vrai ! Le shérif peut rappeler ses limiers puisque tout est fini. Mais Judith, j'avais oublié ! Il doit y avoir des choses que tu ne sais pas encore. Martin Bellecote est là et son fils est venu l'aider. N'entre pas dans la petite chambre. On y met Bertred en bière. Il s'est noyé dans la Severn il y a deux nuits. Comme je regrette d'avoir à te gâcher cette belle journée avec une telle nouvelle !

— On m'en avait déjà parlé, répliqua Judith d'une voix unie. Frère Cadfael n'a pas voulu que je revienne sans que je sois mise au courant. Un accident, paraît-il.

Quelque chose dans son laconisme et son ton morne força l'attention de Cadfael et il la regarda de près : elle partageait ses doutes. Il lui paraissait difficile d'admettre qu'un événement touchant à sa personne et à ses affaires s'étant produit pendant tout ce mois de juin pût être une simple coïncidence.

— Je vais me rendre auprès de Hugh Beringar, déclara Cadfael.

Et il tourna les talons et s'engagea dans la rue.

Après les salutations d'usage, dans une atmosphère courtoise un peu tendue, Hugh, sœur Magdeleine, Cadfael et Judith tinrent une conférence plutôt sombre dans l'appartement privé de cette dernière. Miles, répugnant à se séparer de sa cousine, qu'il venait de retrouver, était resté ; il couvrait Hugh d'un regard respectueux, s'attendant à moitié à ce qu'on lui demandât de sortir, une main protectrice posée sur l'épaule de Judith, comme si elle avait besoin qu'on la défendît. Mais ce fut elle qui le renvoya, dans un élan soudain de tendresse familiale, en le regardant bien en face, avec un petit sourire affectueux.

— Laisse-nous maintenant, Miles. Plus tard nous aurons l'occasion de discuter tout à loisir, et je répondrai à toutes les questions que tu voudras me poser, mais pour l'instant je préférerais que tu ne t'en mêles pas. Le temps du shérif est précieux et je lui dois toute mon attention après les sérieuses difficultés que je lui ai values.

Même alors, il hésita, plissa le front, puis il serra chaleureusement les mains de sa cousine.

— Ne va pas disparaître encore une fois ! s'écria-t-il avant de sortir d'un pas léger et de refermer la porte derrière lui.

— Je voudrais d'abord vous confier sans plus attendre quelque chose que ni ma tante ni mon cousin n'avaient besoin d'entendre, commença Judith, s'adressant surtout à Hugh. Ils se sont déjà assez inquiétés pour moi, il est inutile qu'ils sachent que j'ai failli être tuée. Il y a des bandits de grand chemin dans la forêt, à moins d'un mile du gué de Godric, excellence, et ils s'attaquent la nuit aux voyageurs. C'est là que j'ai été agressée par un homme seul. J'ignore s'il y en a d'autres, bien qu'en général ils aillent par deux, je crois. Il avait un couteau. Je n'en ai pour preuve qu'une égratignure au bras, mais il voulait ma mort. Le prochain passant aura peut-être moins de chance. Je tenais à vous avertir avant toute chose.

Hugh, le visage impassible, l'observa très attentivement. On entendit Miles traverser la grande salle en sifflotant pour se rendre à la boutique.

— Vous étiez en route pour le gué de Godric? interrogea le shérif.

— Oui.

— Vous étiez seule? La nuit dans la forêt? C'est au petit matin que vous avez disparu de Shrewsbury — vous alliez à l'abbaye. Et se tournant vers sœur Magdeleine : Vous étiez au courant?

— Par Judith, répondit sereinement Magdeleine. Sinon, nous n'avons rien remarqué à proximité de chez nous. Si les forestiers avaient entendu parler de quelque chose, je m'en souviendrais. Mais si vous me demandez si j'y crois, ma réponse est oui. J'ai soigné son bras et aussi l'homme qui s'est porté à son secours et a mis la brigand en fuite. Je sais que c'est la vérité.

— Vous avez disparu il y a quatre jours, reprit Hugh, tournant de nouveau vers Judith son innocent regard noir. Vous trouvez cela raisonnable de me prévenir si tard de la présence de hors-la-loi à proximité de la ville, alors que les religieuses elles-mêmes sont en danger? Un des voisins de sœur Magdeleine aurait pu nous transmettre le message, nous aurions su comme cela que vous étiez sauve et nous n'aurions pas craint pour votre vie. J'aurais pu envoyer aussitôt des hommes ratisser les bois.

Judith n'hésita qu'un moment, mais plutôt

pour s'éclaircir les idées que pour préparer un mensonge. Un peu de la confiance tranquille de sœur Magdeleine l'avait gagnée. Elle prit la parole lentement, choisissant ses mots :

— Tout le monde est convaincu, excellence, que j'ai trouvé refuge auprès de sœur Magdeleine pour fuir une foule de soucis, je suis restée tout le temps avec elle et ni mon départ ni mon retour n'ont de rapport avec un homme quelconque. Mais pour vous, si vous voulez bien vous montrer discret, mon histoire peut être très différente. Il y a des choses, c'est vrai, que je garderai pour moi et des questions auxquelles je ne répondrai pas, mais tout le reste sera la vérité pure et simple.

— Je trouve que c'est un marché honnête, approuva sœur Magdeleine. Si j'étais vous, Hugh, je toperais là. C'est bien beau la justice, mais pas quand elle lèse davantage la victime que le coupable. Cette jeune femme s'en est bien sortie, n'insistons pas.

— Quand exactement avez-vous été attaquée dans la forêt? s'enquit Hugh, sans se compromettre pour le moment.

— La nuit dernière. Après minuit, à mon avis. Vers une heure, peut-être.

— Oh oui, au moins, confirma obligeamment Magdeleine. On venait juste de retourner se coucher après laudes.

— Bon! Je vais envoyer une patrouille sur place fouiller le bois sur un mile à la ronde. C'est quand même bizarre. Parfois, des bougres de Powys nous donnent du fil à retordre dans la région, mais habituellement on les tient à l'œil et on a le temps de se retourner. Il doit s'agir d'un loup solitaire qui a pris le maquis. Et maintenant (il adressa un sourire soudain à Judith), racontez-moi tout ce que vous jugerez à propos depuis l'instant où on vous a poussée dans un bateau, sous le pont, près de la Gaye, jusqu'au moment où vous êtes arrivée au Gué. Pour ce qui est de l'attitude que j'adopterai, vous devrez vous en remettre à moi.

— J'ai confiance en vous, affirma-t-elle en lui lançant un long regard grave. Je crois que vous m'épargnerez et ne me forcerez pas à rompre ma promesse. Oui, on m'a enlevée et retenue de force jusqu'à avant-hier, et on a exercé des pressions sur moi pour que j'accepte de me marier. Mais je tairai l'endroit et le nom de l'instigateur.

— Je peux m'en charger pour vous, proposa Hugh.

— Non, protesta-t-elle sans ambages. Si vous êtes au courant, je tiens au moins à être sûre de ne pas avoir vendu la mèche, ni d'un mot, ni d'un regard. Au bout de deux jours, il s'est repenti, désespéré. Il ne voyait pas comment se sortir de ce guêpier sans payer pour son geste, qui ne lui avait rien rapporté, et il savait qu'il n'avait rien à espérer. Il aurait tout donné pour se débarrasser de moi en totale impunité, mais il avait peur que je le dénonce s'il me laissait partir, et si on me trouvait, il serait également perdu. J'ai fini par compatir. Je n'avais subi aucune violence, sauf au moment de l'enlèvement. Il avait essayé de me conquérir, mais il était trop timoré, et aussi trop bien élevé pour me prendre de force. En outre, moi aussi, je voulais que tout se termine sans scandale, j'y tenais beaucoup plus qu'à me venger de lui. A la fin, ça n'était même plus la peine, j'étais vengée. C'est moi qui avais pris le dessus, je pouvais l'obliger à en passer par où je voulais. C'est moi qui ai dressé ce plan. Il m'emmènerait de nuit au gué de Godric, ou à proximité, car il avait peur d'être vu ou reconnu, et je rentrerais chez moi comme si j'avais passé tout ce temps chez les religieuses. Il était trop tard pour partir sur-le-champ, mais la nuit suivante, hier donc, on s'est mis en route. Il m'a déposée à un demi-mile à peine du couvent. Et c'est là, après son départ, que j'ai été attaquée.

— Et vous ne savez pas du tout par qui ? Il n'y a rien qui vous ait frappée ou que vous pourriez reconnaître chez votre agresseur ? Son allure, son odeur, je ne sais pas...

— La lune n'était pas levée et dans les bois, on n'y voyait pas à deux toises. Tout s'est passé si vite ! Au fait, je ne vous ai pas parlé de celui qui m'est venu en aide. Sœur Magdeleine le connaît. Il est rentré avec nous ce matin, nous l'avons laissé chez lui, sur la Première Enceinte. C'est maître Niall, qui habite mon ancienne demeure. C'est extraordinaire comme tout ce que je suis, sais ou sens, tout ce qui me touche de près tourne autour de cette maison et de ces roses, s'emporta-t-elle soudain. Je voudrais ne l'avoir jamais quittée, j'aurais pu la donner à l'abbaye tout en

277

continuant à l'occuper. C'est mal d'abandonner un endroit où l'on a aimé.

Où l'on aime, rectifia Cadfael in petto, écoutant cette voix calme, et pourtant farouche, vibrante, fixant ce visage pâle et fatigué qui s'éclairait soudain. Ainsi c'était Niall qui s'était trouvé à ses côtés quand sa vie ne tenait qu'à un fil.

Dans son regard, la flamme baissa un peu, se calma, mais ne s'éteignit pas.

— Maintenant vous avez tous les éléments, conclut-elle. Que décidez-vous ? J'ai promis de ne pas porter plainte contre... celui qui m'a enlevée. Si vous l'arrêtez et qu'il passe en jugement, je ne témoignerai pas contre lui.

— Vous voulez savoir où il est ? demanda gentiment Hugh. Entre quatre murs, au château. Il s'est présenté à la porte moins d'une demi-heure avant l'arrivée de Cadfael et on l'a fourré au cachot avant qu'il ait eu le temps d'y comprendre quoi que ce soit. On ne l'a encore ni interrogé ni accusé de rien, personne en ville ne sait qu'il est entre nos mains. Je peux soit le relâcher, soit le laisser moisir jusqu'au jugement. Je comprends très bien que vous souhaitiez enterrer tout cela, et je respecte votre désir de tenir votre parole. Mais il y a encore l'histoire de Bertred qui était dans la nature la nuit où vous avez dressé vos plans.

— Cadfael me l'a raconté, reconnut-elle, de nouveau sur la défensive.

— La nuit de sa mort qui était peut-être accidentelle, il rôdait par là avec l'intention de

278

rentrer et de... voler, si ce mot vous convient. Il est possible qu'on l'ait aidé à tomber à l'eau.

Judith hocha la tête, très décidée.

— L'homme que vous détenez n'a rien à voir avec cet accident. Je le sais, j'étais avec lui.

Elle se mordit les lèvres et réfléchit un instant. Presque rien n'était resté dans l'ombre, sauf ce nom qu'elle se refusait à prononcer.

— Nous étions tous les deux à l'intérieur, on l'a entendu tomber, mais à ce moment on ne savait pas ce qui se passait. Il y a eu un peu de bruit dehors, enfin c'est ce qu'il nous a semblé. Et puis ça a recommencé après. Mais alors, il avait si peur, il était si nerveux qu'il tremblait de la tête aux pieds au moindre craquement. Je ne sais ce qui est arrivé à Bertred, mais il n'en est pas responsable.

— Ce témoignage me suffit, déclara Hugh, satisfait. D'accord, je me range à votre avis. Personne n'a besoin d'en savoir plus que ce que vous voudrez bien révéler. Mais je vous jure que lui saura le mépris qu'il inspire. Je vais le renvoyer dans ses foyers, non sans lui avoir donné une leçon qu'il n'est pas près d'oublier. Vous ne m'en voudrez pas, j'espère, et il peut encore s'estimer heureux de s'en tirer à si bon compte.

— Il manque trop de caractère pour agir délibérément en bien ou en mal, répliqua-t-elle, indifférente. Oh, il n'est pas méchant, il a le temps de s'améliorer avec l'âge. Seulement il reste le problème de Bertred. Frère Cadfael m'a appris que c'est lui qui a tué ce jeune moine. Je n'y comprends rien, et je ne vois pas pourquoi Bertred devait mourir. Niall m'a expliqué comment les choses s'étaient déroulées en ville après ma disparition. Mais il ne m'a pas parlé de Bertred.

— Je doute qu'il ait été au courant, remarqua Cadfael. On ne l'a découvert que dans l'après-midi et même si la nouvelle s'est répandue en ville, évidemment, après qu'on l'eut ramené ici, je ne crois pas qu'elle soit arrivée au bout de la Première Enceinte, par chez Niall. En tout cas, je suis sûr de ne pas lui en avoir parlé. Mais comment a-t-il pu se trouver sur place, près du gué de Godric, quand vous avez eu besoin de lui?

— Il m'a vue passer avant que nous ne nous engagions dans la forêt. Il rentrait chez lui, mais il m'a reconnue et suivie. Béni soit le ciel! Mais Niall a toujours été très bon pour moi les rares fois où nous avons été en contact.

Hugh se leva pour prendre congé.

— Je vais envoyer Alan patrouiller en forêt et regarder un peu les choses de près. Si on a un nid de hors-la-loi dans les parages, on va les enfumer. Madame, rien ne sera rendu public de notre entretien. Pour moi, je vous obéirai, l'affaire est classée. Elle aurait pu se terminer plus mal, Dieu soit loué. Vous préférerez sûrement qu'on vous laisse un peu tranquille, maintenant.

— Il y a plusieurs choses qui m'échappent à propos de Bertred : sa culpabilité aussi bien que sa mort. Un si bon nageur, il était pratiquement né dans la rivière. Pourquoi n'a-t-il pas pu utiliser ses talents précisément cette nuit-là?

Hugh était retourné au château pour rappeler ses hommes aussitôt qu'ils se présentaient au rapport et aussi pour respecter son marché concernant le vaurien de Vivian Hynde ou plus probablement pour le laisser mariner et se ronger les sangs dans une cellule humide pour cette nuit, voire plus longtemps. Cadfael prit la nappe de l'autel soigneusement enroulée des mains de sœur Magdeleine, et repartit vers l'abbaye. Mais avant cela, il alla jeter un coup d'œil à la petite pièce nue ou Bertred reposait dans un cercueil sur des tréteaux. Le maître charpentier et son fils finissaient d'ajuster le couvercle et priaient pour le jeune défunt. Sœur Magdeleine le raccompagna jusqu'à la rue où elle s'arrêta, toujours silencieuse, les sourcils froncés, plongée dans ses pensées.

— Eh bien ? murmura Cadfael, surpris de la voir si taciturne.

— « Bien » ne me semble pas un mot qui convienne, au contraire ! s'exclama-t-elle, avec un hochement de tête dubitatif. Toute cette histoire n'a ni queue ni tête. Ce qui est arrivé à Judith, c'est clair, mais le reste, j'y perds mon latin. Vous l'avez entendue évoquer la mort de Bertred ? J'éprouve les mêmes doutes sur ce qui a failli être la sienne, si le graveur n'avait pas été là. Dans tout cet embrouillamini y a-t-il un élément qui soit arrivé fortuitement ? Je crains que non.

Il réfléchissait encore à cela en commençant à remonter la Grand-Rue. Avant de tourner le coin, sans savoir pourquoi, il ralentit et se retourna : elle était toujours là, à l'entrée du passage, les yeux fixés sur lui, ses fortes mains passées dans sa cordelière. Non, rien ne s'était passé fortuitement, même ces événements qui semblaient relever du hasard renvoyaient un écho falsifié. Il s'agissait plutôt d'un enchaînement, dont chaque élément amenait le suivant tout en incluant des mobiles et des intérêts nouveaux, si bien que cette affaire en était venue à décrire une espèce de cercle et ses malheureux protagonistes se trouvaient projetés là où ils ne voulaient pas du tout aller. D'un pas beaucoup plus rapide et décidé que quand il l'avait quittée, Cadfael revint vers sœur Magdeleine. Elle n'eut pas l'air surpris.

— Je me demandais aussi ce qui vous trottait dans l'esprit. Je n'ai pas l'habitude de vous voir assister à une réunion pratiquement sans ouvrir la bouche et l'air aussi renfrogné. Vous avez une idée derrière la tête.

— Puisque vous allez passer la nuit dans cette maison, j'aimerais que vous me rendiez un petit service. Avec l'enterrement de ce garçon et le retour de Judith, ça ne devrait pas être sorcier de dérober deux choses pour moi et de me les envoyer à l'abbaye. Par le fils de Martin, Edwy, s'ils sont toujours là. Mais attention, pas un mot ! Il s'agit d'un emprunt, pas d'un vol. Dieu sait que, quel que soit le résultat, je n'en aurai pas besoin longtemps.

— Très intéressant, répondit sœur Magdeleine. Et c'est quoi ces deux choses ?

— Deux chaussures gauches.

CHAPITRE TREIZE

Maintenant que son esprit parvenait à relier des détails qui donnaient un sens horrible à ce qui semblait jusqu'alors un faisceau d'éléments disparates, il ne pouvait penser qu'à cela. D'un bout à l'autre de vêpres, il essaya de se concentrer, mais la séquence lamentable de catastrophes liées au loyer de la rose lui revenait inexorablement en tête, et commençait à obéir à un ordre logique. D'abord, il y avait Judith qui, au bout de trois ans de solitude, n'était toujours pas remise de son deuil. Elle était persécutée par une théorie de soupirants, jeunes et moins jeunes, qui avaient un œil sur sa personne et l'autre sur sa fortune, mais ils avaient soupiré en vain, et aujourd'hui ils s'inquiétaient de voir qu'elle risquait de finir bonne sœur. Ensuite, il y avait eu l'attentat contre le rosier, histoire, sait-on jamais, de se réserver la possibilité de récupérer la maison offerte à l'abbaye, avec pour résultat la mort de frère Eluric qui n'avait très certainement pas été préméditée, mais due à la panique. Après cela, qu'il l'ait ou non voulu, un homme s'était retrouvé avec un meurtre sur la conscience, et l'on pouvait s'attendre à ce que désormais il ne recule devant rien. Mais ensuite, pour tout compliquer, il y avait eu l'enlèvement de Judith, lui aussi perpétré dans l'affolement pour l'empêcher de rendre son offrande inconditionnelle et essayer de la persuader de se marier, éventuellement sous la menace. Même s'il n'avait jamais été nommé, on connaissait le responsable de cette folie. La mort de Bertred nuitamment aurait aussi eu un sens si le coupable était le ravisseur, mais manifestement, ça n'était pas le cas. Judith avait témoigné en sa faveur, ainsi, en cas de besoin, que la mère de Vivian Hynde, car il était apparu, une fois le marché conclu entre la captive et le geôlier, que Judith avait été emmenée dans une maison confortable, qui avait déjà été fouillée; quant à la pièce condamnée de l'entrepôt, elle avait été hâtivement mais soigneusement nettoyée pour effacer toute trace de sa présence. Jusqu'ici, pas de problème! Mais dans la nuit, les murs avaient eu des oreilles, Bertred d'abord, puis peut-être quelqu'un d'autre, à moins que Vivian n'ait fui pour se trouver dans un tel état qu'une souris ou une araignée aurait pu le tuer d'une crise cardiaque. On avait peut-être surpris leur conversation, le cheval avec ses deux cavaliers avait peut-être été suivi, et pas seulement par Niall. Et ainsi la boucle désastreuse serait bouclée d'autant plus sûrement si celui qui l'avait déroulée le premier cherchait à la refermer.

Cadfael se perdait dans ses pensées, alors qu'il aurait dû s'attacher à des choses plus paisibles et intemporelles. Il se dit que Vivian représentait un bouc émissaire parfait pour l'agresseur de Judith dans la forêt. L'homme qui l'avait enlevée et s'était vainement efforcé de la contraindre au mariage était à cheval avec elle dans les bois, en pleine nuit ; peut-être s'était-il méfié de sa promesse de ne pas le trahir et avait-il préféré, une fois qu'elle était descendue, mettre pied à terre et revenir se débarrasser d'elle une fois pour toutes. Il fallait cependant reconnaître que Judith l'avait tiré d'affaire et assuré qu'il n'avait qu'une idée en tête, rentrer chez lui ou gagner Forton, où son père gardait les troupeaux. Oui, mais si le coup avait réussi, si Judith avait été tuée et s'il n'y avait donc pas eu de témoin à décharge ?

Un bouc émissaire qu'on trouve avant même de commettre un meurtre, songea Cadfael. Et s'il y en avait eu un autre pour le premier crime, pas avant, puisqu'il n'y avait pas eu préméditation, mais après ? Un bouc émissaire, tout prêt à être envoyé à l'échafaud, vulnérable, impuissant, qui amène en un clin d'œil l'idée de l'utiliser et la certitude de sa mort ? Encore une fois, il ne s'agissait pas de hasard, mais de la conséquence ironique et amère des événements précédents.

Et tout cet imbroglio de logique et de culpabilité dépendait de deux chaussures gauches qu'il n'avait pas encore examinées. Plus elles seront usées, mieux cela vaudra, avait-il précisé quand Magdeleine, fine mouche et qu'il en fallait plus pour étonner, lui avait demandé des détails, il me faut des brodequins qui aient servi. Rares sont ceux, à part les riches, qui en possèdent plusieurs paires, mais l'un de ceux auxquels il pensait n'aurait plus l'usage des siens et l'autre en avait sûrement de rechange. Cadfael avait été très clair, pas de chaussures neuves, car il en a certainement. Les vieilles ne lui serviraient plus.

Les vêpres étaient terminées et Cadfael avait trouvé un moment pour se rendre à son atelier avant le souper, au cas où l'enfant l'y attendrait. Le fils du maître charpentier connaissait très bien l'endroit qu'il avait fréquenté quelques années auparavant*; c'est certainement là qu'il viendrait le rejoindre. Mais tout était calme à l'intérieur où régnait une agréable fraîcheur; seule une jarre de vin bouillonnait mollement au ralenti, les bouquets d'herbes sèches bruissaient doucement sous l'auvent et entre les poutres; le brasero était éteint. C'était les jours les plus longs de l'année, dehors la lumière était à peine moins éclatante que dans l'après-midi, mais d'ici une heure elle s'adoucirait avec les rayons presque horizontaux du crépuscule et ses lueurs verdâtres.

Rien encore. Il ferma la porte de son petit royaume personnel et supporta sans broncher les reproches de Jérôme, d'une extrême onction, car il avait deux minutes de retard. Cadfael y prêta à peine attention et s'excusa presque automatiquement. La maison de la rue Maerdol devait être

* Voir *le Capuchon du moine*, du même auteur, dans la même collection, n° 1993.

trop occupée et sens dessus dessous pour que
sœur Magdeleine se livrât à son petit larcin aussi
facilement qu'il l'avait espéré. Tant pis ! Quand
elle entreprenait quelque chose, elle ne renonçait
pas aisément.

Il manqua les collations mais se rendit dûment
à complies. Toujours aucun signe. Il se retira
derechef dans son atelier qui représentait toujours une bonne raison de ne pas être là où il
aurait dû selon les règles, même tard dans la
soirée. Mais la nuit était complètement tombée et
les moines déjà couchés quand Edwy Bellecote
arriva en courant, des excuses plein la bouche.

— Mon père m'a envoyé en course à Frankwell et je n'avais pas le droit de mentionner que
vous m'aviez chargé d'une mission, frère Cadfael, alors j'ai jugé bon de tenir ma langue et d'y
aller. Ça m'a pris plus longtemps que prévu, et
j'ai dû raconter que j'avais oublié mes outils pour
rentrer si tard. Mais la religieuse me guettait.
C'est une rapide, celle-là ! Et voilà ce que vous
avez demandé.

Il sortit de sous son manteau un paquet enve-
loppé et s'installa confortablement, sans y avoir
été invité, mais certain d'être le bienvenu, sur le
banc contre le mur.

— Pourquoi diable avez-vous besoin de ces
deux chaussures dépareillées ?

Cadfael connaissait bien ce garçon, qui venait
d'atteindre ses dix-huit ans. Il était grand pour
son âge, très mince, d'esprit aventureux ; il avait
d'épais cheveux châtains, et bien peu de choses

échappaient à ses yeux noisette. Il les écarquillait à présent tandis que Cadfael ouvrait l'emballage et posait les souliers par terre.

— Pour étudier convenablement deux pieds dépareillés, pardi! (Et il les regarda un moment sans y toucher.) Laquelle est à Bertred?

— Celle-ci. Je l'ai dérobée pour la sœur, dans l'endroit où il rangeait ses quelques affaires, mais elle a dû attendre le bon moment pour prendre l'autre, sinon j'aurais pu être là avant qu'on m'envoie à Frankwell.

— Aucune importance, murmura Cadfael distraitement, et il la retourna, la semelle en l'air. Pour être usagée elle l'était, l'extrémité s'amincissait au bout du pouce et portait une pièce; la semelle à une seule épaisseur était renforcée par un triangle de cuir épais au talon. Elle appartenait à cette espèce toute simple, sans attache, où l'on glisse simplement le pied. Le morceau de cuir à la couture, sur l'extérieur du cou-de-pied, était presque troué. Mais après toutes ces années où elle avait probablement servi, la semelle présentait une usure égale, depuis l'arrière du talon jusqu'au bout des orteils. Aucune pression latérale, elle n'était pas affaissée au talon ni ne portait une marque oblique au bout du pied.

L'autre était une bottine qui arrivait assez bas sur la cheville, fabriquée sur le même modèle en une seule pièce jusqu'à la partie supérieure et également cousue sur le cou-de-pied, légèrement pointue, avec un talon un peu surélevé et un lacet qui entourait la cheville et s'attachait avec une

288

boucle. L'extérieur, à l'arrière du talon, était assez profondément affaissé, et une usure pareille apparaissait à l'intérieur, au bout du pied. La petite lampe de Cadfael, toute proche, mais qui tombait en biais, accentuait les lumières et les ombres. Ici on distinguait le début d'une déchirure sous le gros orteil qui existait au même endroit sous la botte qu'on avait retirée à Bertred. C'était suffisant.

— Et ça prouve quoi? s'étonna Edwy qui, dévoré de curiosité, penchait la tête vers le brodequin.

— Que je suis un imbécile, lâcha Cadfael sans enthousiasme, mais je m'en doutais déjà un peu. Non, cela démontre qu'un homme qui porte une chaussure une semaine n'est pas forcément le même que celui qui s'en servait la semaine d'avant. Tais-toi maintenant, laisse-moi réfléchir.

Fallait-il agir immédiatement? Il ne parvenait pas à se décider. Mais, se rappelant les propos tenus dans l'après-midi, il pensa que l'affaire pouvait attendre au lendemain. La conviction de Judith d'avoir été attaquée par hasard sur un chemin de forêt le rassura. Un brigand était tombé sur une femme qui voyageait la nuit; il avait profité de l'aubaine, ne fût-ce que pour lui voler ses vêtements si elle n'avait pas d'autres objets de valeur. En ce cas, inutile de rameuter la garde ni de réveiller Hugh avant l'aube, le meurtrier étant fondé à se croire en sûreté.

— Je n'ai décidément plus vingt ans, mon fils.

J'ai besoin de repos. Et tu serais bien inspiré d'aller te coucher toi aussi, sans quoi ta mère va me reprocher de t'attirer hors du droit chemin.

Quand le garçon fut parti, Cadfael, dont la curiosité n'était toujours pas satisfaite, resta assis, immobile, silencieux, pensif, commençant enfin à admettre ce qu'il s'obstinait à refuser jusqu'alors. Car l'assassin, persuadé de son impunité à présent, ne s'arrêterait pas en si bon chemin. Après avoir été aussi loin, il n'allait pas tourner casaque. En outre, il ne lui restait guère de temps. Il l'ignorait mais il ne disposait plus que de cette nuit et, compte tenu de la présence dissuasive de sœur Magdeleine, il ne voudrait ni ne pourrait attenter à la vie de Judith. Il préférerait guetter le moment favorable, ne sachant pas que durant le jour qui allait se lever tout serait consommé.

Cadfael se redressa brusquement et la flamme du lumignon vacilla. Non Judith ne risquait rien ! Mais s'il était si sûr de son fait, l'autre disposait encore d'une nuit pour tenter de conserver la maison du faubourg, car demain le loyer de la rose serait payé et le titre de propriété de l'abbaye inattaquable pendant un an. C'était le rosier et non Judith qui courait un risque.

Il se gronda, se reprocha ses soupçons exagérés. Personne, en effet, pas même un criminel enhardi par l'impuissance des représentants de la loi, n'oserait entreprendre quoi que ce fût aussi tôt mais, au moment où il terminait mentalement sa phrase, il avait déjà traversé la moitié du jardin. Arrivé dans la grande cour, il se dirigea vers le portail. Il connaissait bien la route et l'obscurité ne le gênait pas ; d'ailleurs, le ciel était très clair, ponctué d'étoiles grosses comme des clous dans la noirceur de minuit. Il régnait un calme absolu sur la Première Enceinte où seul un chat en maraude errait parfois dans les coins sombres. Mais un peu plus avant, près de l'angle du mur de l'abbaye, à hauteur du champ de foire aux chevaux, une lueur rouge vibrait pas plus haut que le toit des maisons, et son frémissement irrégulier mettait en relief leur silhouette noire avant de les absorber de nouveau dans la pénombre. Cadfael se mit à courir. Puis il perçut, étouffées par la distance, des voix inquiètes, passablement incrédules. Soudain le rougeoiement se transforma en flamme haute qui envahit le ciel à grand bruit de bois qui craque. Les murmures cessèrent, laissant place à des cris d'hommes et de femmes, sur différents modes, auxquels, de mur en mur, les aboiements de tous les chiens du faubourg répondirent.

Les portes s'ouvraient, on se précipitait sur la route en finissant de s'habiller à la hâte, avant de se fondre dans le flot humain désordonné, attiré par l'incendie. On se posait au hasard des questions dont chacun ignorait les réponses. Cadfael rejoignit les autres à la porte de la cour de Niall, déjà grande ouverte. A travers le guichet menant au jardin, le feu, écarlate comme un pavot, étincelait. Au-dessus du mur, de la crête des flammes s'élevait un tourbillon d'air brûlant où voletaient des cendres floconneuses à plus de trois toises de hauteur avant de se dissoudre dans l'obscurité. Dieu merci, songea Cadfael, il n'y a pas de vent, le brasier n'atteindra ni la maison, ni la forge du maréchal-ferrant de l'autre côté. Et à en juger par son intensité, tout devrait s'éteindre rapidement. Il n'empêche qu'en entrant il savait déjà le spectacle qui l'attendait.

Au milieu du mur du fond le rosier n'était qu'un immense bouquet de flammes au rugissement de fournaise, dans un vacarme de craquements d'os cependant que les épines se tordaient en crachant dans cette chaleur. Le feu avait atteint le vieux cep noueux derrière lequel il n'y avait plus rien, qu'une paroi de pierre pour l'alimenter. Les arbres fruitiers étaient assez éloignés pour survivre malgré le dommage causé aux branches les plus proches. Du rosier, il ne resterait que des rameaux noircis, comme des bras tendus, et de la cendre blanche. Autour de la lueur aveuglante s'agitaient quelques ombres impuissantes, incapables d'approcher. L'eau qu'on projetait à bonne distance explosait en vapeur et disparaissait en un sifflement furieux, sans aucun effet. Les hommes renoncèrent à leurs efforts inutiles et se reculèrent en balançant leurs seaux pour regarder le vieux tronc tordu, qui avait fleuri pendant tant d'années, se déformer, se fondre et gémir dans son agonie.

Niall s'était mis à l'écart et restait là, désolé, le visage tout sale, les sourcils froncés. Quand Cadfael le rejoignit, il se tourna, reconnut le moine, lui adressa un bref signe de tête avant de reprendre sa surveillance interrompue.

— Comment s'y est-il pris ? demanda Cadfael. Il ne s'est pas contenté de silex, d'acier et d'amadou alors que vous étiez à deux pas, ça me paraît évident. Il lui aurait fallu un bon quart d'heure avant de provoquer la moindre étincelle.

— Il a pris le même chemin que la première fois, marmonna Niall, sans détourner ses yeux mornes de la colonne tournoyante de fumée et de cendres mêlées. L'enclos de derrière, où le sol est plus haut. Il est resté hors du jardin cette fois. Je suppose qu'il a répandu de l'huile sur le massif et la vigne depuis le mur ; il les a aspergés complètement, puis il a laissé tomber une torche. Bien allumée... Ensuite il s'est sauvé dans le noir. Et on n'a aucun moyen de lutter, aucun !

Il n'y avait qu'à se tenir loin du brasier et à observer la scène. Bientôt la fureur s'apaisa et les branches noircies se détachèrent, projetant des nuées de fines cendres grises qui montaient comme un vol de papillons de nuit. Il fallait rendre grâce au mur de pierre qui avait empêché l'incendie de se propager vers les habitations.

— Elle y tenait beaucoup, murmura Niall, amer.

— Oui, mais au moins elle est encore en vie, une vie dont elle a redécouvert la valeur. Elle sait à qui elle le doit, Dieu mis à part.

A cela Niall ne sut que répondre et son regard ne s'éclaira pas. Le feu se calmait, prenait des allures de fleuve pourpre. Les volutes de fumée, qui n'étaient plus aspirées par le tourbillon, redescendaient vers le jardin. Les voisins se reculèrent, heureux de constater que le pire était passé et, petit à petit, ils retournèrent se coucher. Niall poussa un grand soupir et s'ébroua pour se ressaisir.

— J'envisageais de ramener ma fille ici aujourd'hui, articula-t-il lentement. On en parlait pas plus tard que la nuit dernière. Ce n'est plus un bébé, ce serait bien qu'elle soit avec moi. Mais là, je me pose des questions! Avec ce fou qui hante cette maison, elle est plus en sûreté chez ma sœur.

— Mais non! s'exclama Cadfael. Ramenez-la donc. Vous n'avez rien à craindre. D'ici à demain, il sera hors d'état de nuire, je m'en porte garant!

Le jour de la translation de sainte Winifred se leva, clair et ensoleillé; une brise fraîche accompagnait la lumière de l'aube, qui dispersa l'odeur de brûlé parmi les toits de la Première Enceinte, tandis que le premier ouvrier qui traversait le pont rapportait les nouvelles de la nuit précédente. Elles parvinrent à la boutique des Vestier dès que les volets furent retirés et que le client le plus matinal franchit le seuil. Miles entra en coup de vent dans le cabinet privé, la consternation sur le visage, comme si on l'avait chargé de transmettre une mauvaise nouvelle et qu'il ne savait pas comment s'en acquitter sans brusquerie.

— Judith, il semble que nous n'en ayons pas fini avec les mésaventures qui s'acharnent sur ton rosier. Je viens d'apprendre à l'instant qu'il s'est encore passé quelque chose d'étrange. Ne t'inquiète pas outre mesure, il n'y a eu ni mort ni blessé, ce n'est donc pas trop grave. Je me rends compte cependant que tu en auras du chagrin.

Un préambule aussi long et filandreux n'était pas de nature à la rassurer, en dépit de son ton lénifiant. Elle se leva du banc encastré dans l'embrasure de la fenêtre sur lequel elle était assise avec sœur Magdeleine.

— Qu'est-ce que tu racontes ? Que pouvait-il arriver d'autre ?

— Un incendie... on a mis le feu au rosier. Il n'en reste rien, ni un bourgeon, ni une branche, à plus forte raison une fleur pour te payer ton loyer.

— Et la maison ? s'écria-t-elle, atterrée. A-t-elle brûlé ? Y a-t-il eu des dégâts ? Niall a-t-il été blessé ? Ou est-ce le rosier seulement ?

— Non, non, ne te mets pas en peine pour lui. S'il y avait autre chose à déplorer, ça se saurait. Allez, calme-toi, c'est fini, et ça n'est pas un mal, si tu veux m'en croire. Il n'y a que ce fichu rosier qui a disparu. Et je te le répète, c'est aussi bien. Regarde tous les ennuis qu'il t'a valus. Mais quel drôle de marché ! Te voilà tranquille à présent.

Il la prit fraternellement par les épaules et lui sourit.

— Il n'y avait aucune raison pour que ces roses aient causé du tort à qui que ce soit, se désolat-elle, se dégageant gentiment de son étreinte. Cette propriété était à moi, j'avais le droit d'en disposer. J'y avais été heureuse. Je voulais l'offrir à Dieu et qu'elle soit bénie.

— Eh bien, maintenant tu peux la reprendre, car tu n'auras pas de rose pour loyer cette année, ma fille. Ce qui t'autorise à récupérer ton bien. Rien ne t'empêche de l'apporter en dot si tu te décides à entrer chez les bénédictines, poursuivit-il avec un regard en biais très bleu, très clair et un sourire à sœur Magdeleine. Libre à toi de retourner y vivre si tu en as envie ou de nous céder la maison, à Isabelle et moi, après notre mariage. De toute manière, l'ancien contrat est rompu. Si j'étais toi, je prendrais mon temps avant d'en établir un nouveau, étant donné les conséquences.

— Je ne reprends pas mes cadeaux, répliqua-t-elle, surtout à Dieu.

Miles avait laissé la porte du cabinet privé ouverte derrière lui, et l'on percevait les murmures des femmes à l'autre bout de la longue pièce, brusquement interrompus par d'autres voix à l'entrée, celle d'un homme d'abord, courtoise et grave, puis celle de sa tante, pleine de douceur et d'urbanité. Il pourrait y avoir un certain nombre de visites, car c'était le jour de l'enterrement de Bertred. Au milieu de la matinée on l'emporterait au cimetière de Saint-Chad.

— En voilà assez, murmura Judith, la tête tournée vers la fenêtre. Est-ce vraiment le moment de parler de ça? Si le massif a brûlé...

296

Il y avait quelque chose de biblique et de prémonitoire dans son intonation, évoquant le buisson ardent de la Révélation, mais celui-là ne s'était pas consumé.

— Judith, ma chérie, vint la prévenir Agathe, montrant le bout de son nez, le seigneur shérif est ici, ainsi que frère Cadfael.

Ils entrèrent calmement, sans rien de menaçant dans leur allure, mais deux sergents étaient sur leurs talons, qui allèrent se poster de part et d'autre de la porte. Judith s'avança vers eux, pensant qu'ils venaient l'informer de ce qu'elle savait déjà.

— Je vous cause encore bien des ennuis avec mes histoires, messire. J'espère de tout cœur que ce sera la dernière vague de ce tourbillon.

— Je ne demande qu'à vous croire, affirma Hugh, après une brève et cérémonieuse révérence à Magdeleine, assise très droite à la fenêtre, en femme qui sait tenir sa langue quand c'est nécessaire. Toutefois c'est maître Coliar que je suis venu voir ce matin. Une question très simple, si vous pouvez nous aider : les bottes que nous avons trouvées sur Bertred, demanda-t-il fort aimablement d'une voix de velours, suffisamment vite pour qu'il ne pût être sur ses gardes, celles qu'il portait quand on l'a sorti de la rivière... quand les lui avez-vous données ?

D'ordinaire, Miles réagissait vite, mais pas cette fois. Il eut le souffle coupé un instant et, avant qu'il tentât de répondre, sa mère, toujours aussi bavarde, l'avait devancé, fière de tout savoir sur son fils.

— Le jour où on a découvert le cadavre de ce pauvre jeune homme de l'abbaye. Tu te rappelles, Miles, tu es parti chercher Judith dès qu'on a su. Elle était allée récupérer sa ceinture…

Il s'était repris, mais impossible d'arrêter sa mère une fois qu'elle était lancée.

— Tu te trompes, mère, rétorqua-t-il avec un petit rire dénotant l'indulgence d'un fils habitué à ce que sa mère perde parfois un peu la tête. C'était il y a des semaines. J'avais vu que les siennes étaient dans un piteux état. C'était normal, non ? Ça coûte cher, les chaussures, ajouta-t-il, soutenant hardiment le regard de Hugh.

— Mais non, mon chéri, protesta Agathe, imperturbable, sûre d'elle. Avec ce qui s'est passé ce jour-là, je ne risque pas de me tromper, tu penses. Le même soir, tu as observé que Bertred allait bientôt marcher pieds nus, ce qui ne serait pas du meilleur effet si on l'envoyait en course aussi mal chaussé…

Elle avait débité sa tirade comme à l'accoutumée, sans prêter la moindre attention à ses auditeurs. Elle s'aperçut toutefois progressivement que son fils s'était pétrifié. Sa figure devenait livide et il dardait sur elle un regard dénué d'amour, de tendresse, brûlant de méchanceté. Sa voix aimable, un peu frivole, se transforma en un murmure inintelligible, puis se tut. Si sa mère était intervenue, c'était à cause de son aveuglement et de son innocent égoïsme.

— Après tout, balbutia-t-elle, les lèvres tremblantes, essayant de trouver les mots qui lui plairaient afin d'effacer cette expression terrible sur son visage. Je ne suis plus très sûre... j'ai pu confondre...

C'était trop tard, le mal était irréparable. Les larmes l'aveuglèrent, l'empêchant de voir les yeux haineux, couleur d'aigue-marine, de Miles. Abasourdie, bouleversée, Judith se força à bouger et alla rapidement se placer auprès de sa tante, dont elle entoura les épaules frissonnantes de son bras.

— Est-ce tellement important, messire? Qu'est-ce que tout cela signifie? Je n'y comprends goutte. Soyez clair, je vous en prie.

En vérité, tout s'était produit si vite que le dialogue lui avait en partie échappé et qu'elle n'en avait pas saisi les implications, mais dès qu'elle eut ouvert la bouche, tout devint clair, et ce fut comme si on la poignardait. Elle blêmit, se raidit, dévisageant tour à tour Miles, enfermé dans un silence inutile, frère Cadfael, qui se tenait à l'écart, sœur Magdeleine, et enfin Hugh. Elle forma silencieusement le mot « Non! » qu'elle ne prononça pas.

La scène se passait chez elle et c'était elle la maîtresse de maison. Elle affronta donc Hugh sans sourire ni perdre son calme.

— Je pense, monsieur, que ma tante n'a nul besoin de s'inquiéter, c'est une affaire que nous pouvons tranquillement discuter et régler entre nous. Tante Agathe, il vaudrait mieux que tu ailles aider Alison à la cuisine. La pauvre, elle a énormément de travail; c'est une journée très dure pour elle. Tu ne devrais pas la laisser s'occuper seule de tout. Je te raconterai plus tard ce que tu as besoin de savoir, promit-elle, et s'il y avait dans ses paroles un sous-entendu sinistre, Agathe n'y vit que du feu.

Elle sortit docilement de la pièce au bras de sa nièce, mi-rassurée, mi-soumise, puis la jeune femme revint et tira la porte derrière elle.

— Bon, nous pouvons parler sans être dérangés. Je ne vois pas trop à quoi rime tout cela. Je sais bien que deux personnes se souviennent très différemment des événements vieux d'une semaine au plus. J'ai aussi appris par frère Cadfael que les brodequins que portait Bertred quand il s'est noyé ont laissé les mêmes empreintes que celles du meurtrier de frère Eluric sous la vigne, quand il a sauté le mur. Il est donc excessivement important, Miles, de savoir qui était ainsi chaussé cette fameuse nuit. Toi ou Bertred?...

Son cousin s'était mis à transpirer abondamment; son propre corps le trahissait. Sur son front blême, glacé, de grosses gouttes de sueur se formaient, frémissantes.

— Je vous le répète, je les ai offerts à Bertred il y a longtemps...

— Il n'a pas eu le temps de les faire à son pied, intervint Cadfael. C'est votre marque qu'on y trouve, pas la sienne. Vous avez sans doute gardé en mémoire le moulage de cire que j'ai relevé. Vous l'avez vu quand vous avez ramené Judith. Vous avez deviné ce que c'était et ce que cela signifiait. Le soir même, selon votre mère, vous avez donné vos souliers à Bertred, qui n'avait rien à voir dans tout ça. On n'avait pas de raison de s'intéresser à lui ou à ce qu'il possédait.

— Non ! cria Miles, avec un geste violent de dénégation. Ce n'était pas à ce moment, mais bien avant !

— Votre mère affirme le contraire, mentionna Hugh doucement. Celle de Bertred confirmera, j'en suis sûr. Je vous conseille d'avouer, on vous en tiendra compte lors du procès. Parce que procès il y aura, Miles ! Pour le meurtre de frère Eluric...

C'est là que Miles s'effondra ; il se tassa sur lui-même et prit sa tête dans ses mains, pour la cacher et aussi pour la soutenir.

— Non ! protesta-t-il d'une voix rauque entre ses doigts crispés. Ce n'était pas un meurtre... non... Il m'a sauté dessus comme un fou. Je n'avais rien contre lui, je voulais simplement m'en aller...

Et la vérité vit le jour, à peu de frais en définitive. Après cela il n'avait plus de moyen de défense : il avouerait ses autres forfaits dans l'espoir d'atténuer la gravité de ses crimes. Il était prisonnier d'une situation et d'un personnage qui ne lui laissaient pas d'issue. Et tout cela par ambition et appât du gain !

— ... Peut-être aussi pour l'assassinat de Bertred, poursuivit Hugh impitoyable, sur le même ton dépourvu de sentiment.

Il resta sans réaction. Il avait retenu son souffle, glacé, s'attendant à tout sauf à ça.

— ... Et troisièmement pour tentative de meurtre sur la personne de votre cousine dans la forêt, près du gué de Godric. On a beaucoup glosé, Miles Coliar, et à juste titre, sur les nombreux soupirants qui persécutaient Mme Perle et pourquoi ils tenaient tant à l'épouser avec toute sa fortune et pas seulement la moitié. Mais le seul qui aurait profité de sa mort, c'était vous en tant que son plus proche parent.

Judith se détourna de son cousin en chancelant. D'un pas vacillant elle alla se rasseoir près de sœur Magdeleine, s'entourant de ses bras comme si elle avait froid, sans émettre un seul mot, ni manifester de répulsion, de peur ou de colère. Ses traits étaient tirés, figés, sa chair s'était creusée sous ses pommettes blanches et ses yeux gris semblaient tournés vers le dedans. Elle se tenait loin des autres, cependant que les mains que Miles avait éloignées de son visage atone pendaient mollement.

— Ce n'était pas un meurtre ! Non ! répéta-t-il. Il m'a sauté dessus comme un fou, je n'ai jamais voulu le tuer. Et Bertred s'est noyé ! Je n'y suis pour rien. Ce n'était pas un meurtre... articula-t-il, prêt à recommencer sa litanie.

Mais il ne prononça pas le nom de Judith, évitant obstinément de la regarder jusqu'à la fin, horrifié. Bientôt Hugh se secoua, partagé entre la haine et l'incompréhension, et il adressa un signe de la main à ses deux sergents en faction à la porte :

— Emmenez-le !

CHAPITRE QUATORZE

Quand il fut parti et que l'écho de ses pas fut englouti par le silence, elle se secoua et respira profondément :

— Je n'aurais jamais cru voir ça ! murmura-t-elle surtout pour elle-même, et s'adressant à tous, retrouvant ses forces, elle lança :

— Alors c'est vrai ?

— Pour Bertred, reconnut honnêtement Cadfael, je n'en suis pas sûr et je ne pourrai jamais l'être tant qu'il n'aura pas avoué, ce qui, je crois, n'est pas impossible. Quant à Eluric, il n'y a aucun doute. Vous avez entendu votre tante. Dès qu'il s'est rendu compte de ce qu'il avait laissé d'incriminant derrière lui, il s'est débarrassé des bottes. Simplement pour se couvrir et non pour que Bertred soit accusé à sa place. Pas à ce moment. Pour moi, il en était vraiment venu à croire que vous alliez prendre le voile en lui confiant la boutique et le commerce. Il a pensé que ça valait le coup d'essayer de rompre le droit de l'abbaye sur la maison du faubourg et de tout empocher.

— Il ne m'a jamais encouragée à prononcer mes vœux, au contraire, s'étonna-t-elle. Mais il lâchait parfois une allusion. Il avait toujours ça présent à l'esprit.

— Seulement cette nuit l'a transformé en assassin, ce qu'il n'avait jamais envisagé, et il ne pouvait plus revenir en arrière. Qu'aurait-il décidé s'il avait appris que vous vouliez aller voir l'abbé et renoncer au loyer de la rose, ça je l'ignore, mais quand ce bruit lui est venu aux oreilles, il était trop tard et une tierce personne a contrecarré ses plans. Son affolement n'était pas feint, c'est sûr ; il tenait désespérément à vous retrouver, craignant que vous ne cédiez et que vous ne vous remettiez, vous et votre fortune, entre les mains de votre ravisseur, ce qui l'aurait laissé le bec dans l'eau, nanti d'un nouveau maître, sans pouvoir espérer l'héritage ni la puissance pour lesquels il avait tué.

— Et Bertred, comment a-t-il été mêlé à tout cela ?

— En participant à la battue avec mes hommes, expliqua Hugh. Il nous avait devancés... ou avait deviné juste, mais il s'est bien gardé d'en parler. Il est donc parti de nuit pour vous libérer lui-même et récolter les lauriers de sa victoire. Or, en tombant, il a réveillé le chien, comme vous le savez. Après, mystère. On l'a sorti de la Severn, sur l'autre rive, le lendemain. Ce qui s'est passé entre-temps et les causes de sa mort sont matière à conjectures. Vous vous rappelez toutefois avoir entendu ou cru entendre des bruits comme s'il y avait quelqu'un d'autre dehors, après la fuite de Bertred, pendant que vous dressiez vos plans pour vous rendre au gué de Godric la nuit suivante.

— Et vous pensez que c'était Miles?

Elle prononça le nom de son cousin avec une étrange tristesse persistante. Elle n'aurait jamais imaginé que celui qui était son bras droit pût vouloir attenter à ses jours.

— Tout ça se tient, soupira Cadfael. Qui d'autre avait l'occasion de remarquer l'air satisfait de Bertred? Qui avait plus de facilité pour l'observer et le suivre quand il est ressorti? Et si votre cousin a pu se rapprocher après qu'on s'est lancés à la poursuite de Bertred et surprendre votre conversation, vous comprendrez qu'il avait tous les atouts en main. Dans la forêt, quand votre compagnon vous a quittée, rien de plus simple que de vous tuer en vous laissant sur place. On aurait cru à un crime de rôdeur, et si ça ne marchait pas, on se serait retourné contre votre ravisseur qui vous avait amenée en cet endroit perdu pour s'assurer de votre silence définitif. Je ne pense pas, continua Cadfael après mûre réflexion, que l'idée d'un meurtre lui soit venue à l'esprit avant que l'occasion ne se présente, et ce crime a dû lui paraître la solution idéale, meilleure que de vous pousser à entrer au couvent. Car tout lui serait revenu. Supposons qu'il ait presque cédé à la tentation : il découvre

Bertred à moitié assommé. Il a sûrement eu une de ses horribles inspirations. Bertred vivant pouvait gêner ses projets, mais mort il n'avait rien à craindre, et quand on le retrouverait, il porterait les bottes de l'assassin. Il s'était fabriqué un bouc émissaire même en cette occurrence.

— Mais il s'agit seulement d'une supposition, objecta Judith bouleversée, incrédule. Vous n'avez rien pour corroborer vos dires.

— Pas sûr, déclara Cadfael d'un ton lourd. Je crains le contraire. Il se trouve en effet que quand votre cousin est venu à l'abbaye avec une charrette pour ramener le corps de Bertred, il s'est aperçu que ceux qui avaient déshabillé ce malheureux n'avaient prêté aucune attention à ses brodequins, ni moi non plus. Je n'y avais même pas songé quand j'ai apporté le paquet de vêtements à Miles. Il a fallu qu'il les bouscule et les renverse à mes pieds pour que je les ramasse avant de les regarder et de comprendre ce que j'avais entre les mains. Il voulait absolument que je remarque une preuve aussi évidente.

— Ce n'était pas très malin, observa-t-elle, dubitative. Alison aurait confirmé sans difficulté que son fils tenait les chaussures de Miles.

— Encore eût-il fallu qu'on le lui demande. Mais rappelez-vous, on avait découvert le criminel. Mort... pas de procès en perspective, plus de mystère, à quoi bon poser des questions, torturer un cadavre, à plus forte raison une pauvre femme qui se retrouve seule ? expliqua Hugh. A supposer que j'aie été absolument sûr de mon fait, et je

306

ne sais pas pourquoi j'ai toujours eu un léger doute, je n'aurais pas empêché qu'on l'enterre paisiblement. Sa mère avait déjà assez souffert comme ça. Pourtant c'était un risque à courir, peut-être aurait-il dû nous tenir tête. Mais on ne saurait penser à tout, n'est-ce pas ? Et il n'était pas habitué à ce genre de filouterie.

— Il a certainement passé des moments terribles, toute cette nuit où je lui ai échappé, dit Judith. Il savait que je reviendrais mais pas ce que je pourrais raconter. Et quand il a appris sans qu'il subsiste la moindre ambiguïté que j'ignorais tout de mon agresseur, il s'est senti rassuré. C'est drôle, ajouta-t-elle, fronçant les sourcils en repensant à tous ces événements sur lesquels elle n'avait plus prise, quand vous l'avez emmené, je n'arrivais pas à le considérer comme dangereux, vicieux ou conscient de sa culpabilité : il avait seulement l'air effaré ! Comme s'il se retrouvait dans un endroit où il n'aurait jamais cru parvenir un jour, et qui lui était étranger.

— D'une certaine façon, répondit sobrement Cadfael, je pense que vous avez raison. C'est un peu l'histoire de l'homme qui a commencé à glisser dans un marais. Il ne peut plus reculer, et à chaque pas il s'enfonce plus profondément. Depuis l'attaque contre le rosier jusqu'à sa tentative contre vous, il s'est laissé entraîner. Rien d'étonnant s'il ne savait plus où il en était et s'il ne se reconnaissait plus quand il se regardait dans une glace.

Ils étaient tous partis, Hugh Beringar avait

regagné le château pour y interroger son prisonnier, encore sous le coup de la culpabilité qui l'écrasait et chez qui la ruse froide, l'instinct de conservation n'avaient pas reparu afin de couvrir de leur chape un esprit et une conscience que la vérité avait forcés à s'ouvrir. Sœur Magdeleine et frère Cadfael s'étaient rendus à l'abbaye, elle pour dîner avec Radulphe, après s'être assurée qu'on pourrait se passer d'elle dans cette maison pendant quelques heures, lui pour reprendre ses occupations dans la clôture maintenant que cette affaire avait été menée à son terme. Il convenait de laisser le temps et le silence reprendre leurs droits, effacer ces cris et cette angoisse. Il ne restait plus personne, même pas le pauvre Bertred qu'on avait porté au cimetière de Saint-Chad. La demeure était plus vide que jamais, à moitié dépeuplée par la mort, et le fardeau qui retombait sur les épaules de Judith s'était alourdi de deux veuves sans enfant sur qui elle aurait à veiller, mais elle n'y manquerait pas. Elle avait promis à sa tante de lui raconter tout ce qu'elle avait besoin de savoir et elle avait tenu parole. Le calme dû à l'épuisement avait suivi les lamentations. Même les fileuses avaient déserté les ateliers pour la journée. Les métiers étaient au repos, pas une voix ne s'élevait.

Judith s'était assise dans son cabinet où elle s'était enfermée pour réfléchir à cette succession de catastrophes, mais il lui sembla plutôt qu'elle ne voyait que du vide et que le terrain était dégagé pour laisser place à quelque chose de nouveau. Elle n'avait plus personne sur qui s'appuyer dans sa vie professionnelle, tout reposait sur elle désormais. Il lui faudrait retrouver un premier tisserand en qui elle pourrait avoir confiance, un clerc pour tenir les comptes dont Miles se chargeait naguère. Elle n'avait jamais refusé ses responsabilités ni joué les martyrs. Elle n'allait pas commencer aujourd'hui.

Quel jour était-on? Elle avait presque oublié. Une chose était sûre, le loyer de la rose, c'était du passé. Le rosier avait entièrement brûlé, il ne donnerait plus ces petites roses blanches si parfumées qui lui rappelaient ses années de mariage. C'était sans importance maintenant. Elle était libre, hors de danger, maîtresse de ses biens qu'elle pouvait donner ou garder à son gré. Peut-être irait-elle voir l'abbé Radulphe pour rédiger un nouveau document dûment contresigné par des témoins, dans lequel elle offrirait la maison et son terrain sans condition aucune. Il ne restait certainement plus grand-chose des calculateurs intéressés qui l'entouraient, mais elle allait mettre bon ordre à tout cela une fois pour toutes. Ce qui demeurait, après les roses, c'était une sensation douce-amère de regret pour ces années de bonheur dont chaque fleur annuelle était un souvenir et un garant. A présent il n'y en aurait plus.

Au milieu de l'après-midi, Branwen passa timidement la tête à la porte et lui annonça qu'un visiteur attendait dans la grande salle. Indifférente, Judith demanda qu'on l'introduise.

Niall entra, hésitant. Il tenait une rose d'une main et un enfant de l'autre. Il s'arrêta un moment sur le seuil afin de s'orienter dans une pièce où il n'avait jamais mis les pieds. Par la fenêtre ouverte, un large rayon de soleil entrait à flots et coupait le cabinet en deux, laissant Judith dans l'ombre d'un côté et les nouveaux arrivants de l'autre. Elle s'était levée, étonnée de le voir là. Elle demeura sur place, les yeux écarquillés, le cœur soudain plus léger, comme si une brise légère venue d'un jardin, traversant de son souffle un endroit sombre et triste, lui rappelait la splendeur de l'été, la fête prochaine d'une sainte. Sans avoir été invité, sans crier gare, le seul être qui ne lui ait jamais rien demandé, qui n'attendait rien d'elle lui rendait visite. Il n'exigeait rien, ne cherchait à profiter de rien, il ne connaissait ni l'envie ni la vanité et elle lui devait bien plus que la vie. Il lui avait apporté une rose, la dernière du vieux rosier, et c'était déjà en soi un petit miracle.

— Voici le loyer qui vous est dû.

Il avança de quelques pas dans sa direction et lui tendit la fleur à demi ouverte, fraîche, blanche, immaculée.

— Je croyais que tout avait été détruit, qu'il ne demeurait rien, s'étonna-t-elle. Comment est-ce possible ?

A son tour elle se porta à sa rencontre, presque à pas comptés, comme si les pétales pouvaient être réduits en cendres à son contact.

Très doucement, Niall retira sa main de celle de l'enfant qui recula, timide.

— Je l'ai cueillie pour vous hier, quand nous sommes rentrés.

Leurs mains se tendirent et se rencontrèrent dans le rayon lumineux. La corolle ouverte prit le lustre rosé d'une perle. Leurs doigts se touchèrent et se refermèrent sur la tige douce et dépourvue d'épines.

— Vous allez bien ? Votre blessure ne s'est pas infectée ?

— C'était une simple égratignure. Vous avez, je le crains, été touchée beaucoup plus sérieusement.

— C'est fini maintenant. Je m'en souviens à peine.

Mais elle sentait qu'il avait compris à quel point elle était seule. Ils se regardèrent dans les yeux sans ciller, avec une intensité difficile à soutenir et plus encore à rompre. La petite fille se décida à faire un ou deux pas, sans oser s'aventurer plus loin.

— Votre fille ? demanda Judith.

Il répondit oui et se tourna pour reprendre la main de l'enfant.

— Il n'y avait personne à qui je puisse la laisser, ajouta-t-il.

— J'en suis heureuse. Pourquoi la confier à autrui quand vous venez me voir ? Je vous assure qu'elle est la bienvenue.

Dans un soudain élan d'abandon, la fillette se rapprocha de son père en voyant cette inconnue à la voix douce lui sourire. A cinq ans, elle était grande pour son âge, avec un visage ovale solennel et une peau laiteuse dorée par le soleil. Elle avança dans la lumière où elle resplendit telle la flamme d'une bougie, car ses cheveux qui bouclaient sur ses tempes et pendaient sur ses épaules avaient la teinte chaude de l'or rouge et de longs cils dorés frangeaient ses yeux bleu nuit. Elle ploya brièvement le genou en guise de révérence sans détourner son regard brillant, plein de curiosité, de celui de Judith. Puis elle se décida en un tournemain, sourit et, sans qu'on puisse s'y tromper, leva la tête, acceptant qu'on l'embrasse.

Cela revenait à plonger sa petite main dans la poitrine de Judith pour toucher un cœur qui, depuis tant d'années, se languissait d'enfant. Quand elle se pencha vers la joue offerte, elle faillit se mettre à pleurer. La bouche de la fillette était fraîche et douce. C'est elle qui tenait la rose lorsqu'ils traversaient la ville et l'odeur lui en était restée. Pour le moment elle se taisait, trop occupée par cette femme et cette pièce. Elle pérorerait bien assez plus tard quand elles se connaîtraient mieux.

— C'est le père Adam qui lui a donné son nom, murmura Niall, couvant son héritière des yeux avec un sourire grave. Un nom pas ordinaire, elle s'appelle Rosalba.

— Je vous envie, murmura Judith.

Une certaine contrainte pesait sur eux, rendant la conversation délicate. Ils avaient si peu parlé, si malaisément en ce lieu. Il reprit la main de Rosalba et se dirigea vers la porte, pénétra dans la zone d'ombre, laissant Judith presser contre elle la rose toujours illuminée. L'autre petite rose blanche* tourna les talons; elle avait envie de partir, mais elle regarda par-dessus son épaule et sourit en prenant congé.

— Allez, ma mignonne, on rentre à la maison. On a accompli notre tâche.

S'ils s'en allaient tous les deux, il n'y aurait plus de rose à porter, plus de loyer à payer le jour de la translation de sainte Winifred. Et s'ils disparaissaient comme ça, un tel moment privilégié ne se reproduirait peut-être jamais.

Il était à la porte quand Judith cria soudain :

— Niall !...

Il se retourna, le visage brusquement éclairé, et la vit toute droite dans le soleil, aussi claire que sa rose.

— Niall, ne t'en vas pas !

Elle avait enfin trouvé les mots qu'il fallait au moment opportun. Elle lui répéta ce qu'elle lui avait dit au cœur de la nuit, au portail du gué de Godric :

— Ne me laisse pas maintenant !

* « Rosalba » est formé de deux mots latins signifiant « rose blanche ». *(N.d.T.)*

Huit siècles et demi se sont écoulés depuis le temps où frère Cadfael arpentait les ruelles de Shrewsbury, mais le visiteur peut encore mettre ses pas dans ceux des moines.

L'abbaye de Saint-Pierre-et-Saint-Paul s'est associée à la municipalité pour organiser la visite des lieux. Le visiteur découvrira le château, l'église Saint-Gilles, les rives de la Méole au pied de l'enceinte. Les fouilles et la restauration se poursuivent, à grands frais. Les amis du Moyen Âge qui voudraient contribuer à cette œuvre de sauvetage, ou être tenus au courant, sont priés d'écrire à :

Shrewsbury Abbey Restoration Project,
Project Office
1 Holy Cross Houses
Abbey Foregate,
Shrewsbury SY2 6BS
Angleterre

ACHEVÉ D'IMPRIMER SUR LES PRESSES
DE COX & WYMAN LTD. (ANGLETERRE)

Nº d'éditeur : 2149
Dépôt légal : février 1992
Nouveau tirage : septembre 1994
Imprimé en Angleterre